表内乘法

BIAO NEI CHENG FA

主编　钱赛湖

丛书编委

李　杰	李建波	郑晓燕	冉　艳
叶兆梅	卢春林	陈萌萌	张　艳
张　密	蒋　艳	韩丽静	刘冬苓

开明出版社

图书在版编目（CIP）数据

表内乘法 / 钱赛湖主编 . -- 北京：开明出版社，
2019.12（2020.7 重印）
ISBN 978-7-5131-5598-4

Ⅰ . ①表… Ⅱ . ①钱… Ⅲ . ① 小学数学课—教学参考
资料 Ⅳ . ① G624.503

中国版本图书馆 CIP 数据核字 (2019) 第 280182 号

责任编辑：张薇薇

书名：表内乘法
主编：钱赛湖

出版：开明出版社（北京市海淀区西三环北路 25 号 邮编 100089）
经销：全国新华书店
印刷：滨州传媒集团印务有限公司
开本：1/16
印张：3
字数：50 千字
版次：2019 年 12 月　第 1 版
印次：2020 年 7 月　第 2 次印刷
定价：22.80 元

印刷、装订质量问题，出版社负责调换货 联系电话：（010）88817647

目 录

· 把口诀补充完整 ·

一一得（　　　）　　一二得（　　　）　　二二得（　　　）　　一三得（　　　）

二三得（　　　）　　三三得（　　　）　　一四得（　　　）　　二四得（　　　）

三四（　　　）　　四四（　　　）　　一五得（　　　）　　二五（　　　）

三五（　　　）　　四五（　　　）　　五五（　　　）　　一六得（　　　）

二六（　　　）　　三六（　　　）　　四六（　　　）　　五六（　　　）

六六（　　　）　　二（　　　）得六　　三（　　　）得九　　五（　　　）三十

三（　　　）十五　　四（　　　）二十　　（　　　）五二十五　　（　　　）六得六

三（　　　）十八　　（　　　）四十六　　五（　　　）二十五　　（　　　）六三十

· 算一算 ·

1×4 =	5×3 =	3×6 =	2×1 =
3×5 =	1×3 =	1×1 =	5×2 =
6×2 =	4×1 =	5×6 =	4×5 =
1×2 =	5×1 =	3×3 =	2×3 =
6×1 =	6×4 =	5×5 =	3×4 =
2×5 =	2×2 =	1×5 =	2×6 =
1×6 =	4×3 =	3×1 =	4×6 =
4×2 =	4×4 =	6×6 =	6×5 =

· 在括号里填入合适的数 ·

（　　　）×5＝5	（　　　）×1＝1	（　　　）×1＝2	（　　　）×4＝16
（　　　）×5＝15	（　　　）×2＝10	（　　　）×2＝2	（　　　）×3＝12
（　　　）×3＝18	（　　　）×1＝4	（　　　）×1＝3	（　　　）×5＝20
（　　　）×6＝12	（　　　）×2＝6	（　　　）×5＝30	（　　　）×2＝12
（　　　）×4＝4	（　　　）×6＝6	（　　　）×6＝30	（　　　）×3＝6
（　　　）×5＝25	（　　　）×6＝18	（　　　）×4＝20	（　　　）×2＝4
（　　　）×4＝8	（　　　）×1＝5	（　　　）×3＝9	（　　　）×6＝36
（　　　）×3＝3	（　　　）×4＝24	（　　　）×4＝12	（　　　）×3＝15
（　　　）×2＝8	（　　　）×1＝6	（　　　）×5＝10	（　　　）×6＝24

时间：_____ 🐻

点评：对_____题 ☺

　　　错_____题 ☹

正确率：_____% 🐰

错题再做：

1

1~6的乘法口诀（2）

· 把口诀补充完整 ·

四五（　）	三六（　）	一五得（　）	五六（　）
三三得（　）	二（　）得八	（　）五一十	（　）六三十六
一（　）得一	四（　）十六	二（　）得四	一（　）得四
（　）二得二	（　）五得五	（　）五二十	（　）四得四
三（　）十二	（　）四十二	（　）三得六	二（　）一十
二（　）十二	（　）一得一	（　）五十五	（　）六十八
（　）六十二	（　）三得三	四（　）二十四	一（　）得二
（　）二得四	一（　）得五	（　）三得九	一（　）得三
（　）六二十四	一（　）得六	（　）四得八	六（　）三十六

· 算一算 ·

1×4 =	3×4 =	5×1 =	1×2 =
3×5 =	1×6 =	6×2 =	4×6 =
1×1 =	1×5 =	5×6 =	3×3 =
2×2 =	4×1 =	4×3 =	2×6 =
2×1 =	6×6 =	3×6 =	5×2 =
5×5 =	3×1 =	6×4 =	2×3 =
4×2 =	2×5 =	6×5 =	4×4 =
3×2 =	2×4 =	5×4 =	6×3 =
1×3+1 =	5×1+6 =	4×3+3 =	6×2+3 =
3×3+1 =	5×6+3 =	6×1+3 =	6×3+4 =
3×5+2 =	6×4+1 =	2×5+5 =	4×6+4 =
5×3+4 =	6×3+7 =	1×4+26 =	4×5+13 =
6×4+8 =	3×5+17 =	3×6+18 =	6×6+25 =
5×5+9 =	4×5+5 =	3×4+4 =	4×1+5 =
1×3+17 =	2×5+18 =	4×2+15 =	5×4+8 =
5×6+9 =	4×3+19 =	6×4+10 =	4×4+31 =

时间：_____

点评：对_____题 ☺
　　　错_____题 ☹
正确率：_____%

错题再做：

扫码查答案

2

· 把口诀补充完整 ·

一四得（　　　）　　三（　　　）得九　　（　　　）二得二　　六六（　　　）

三四（　　　）　　（　　　）一得一　　三（　　　）十八　　（　　　）六三十

二三得（　　　）　　三（　　　）十五　　（　　　）四十六　　一（　　　）得五

四四（　　　）　　三（　　　）十二　　（　　　）四十二　　一六得（　　　）

二（　　　）得六　　（　　　）五二十　　一（　　　）得二　　（　　　）六二十四

一一得（　　　）　　四（　　　）十六　　（　　　）五得五　　六（　　　）三十六

四（　　　）二十　　二二得（　　　）　　（　　　）五十五　　一（　　　）得三

一二得（　　　）　　四（　　　）二十四　　（　　　）三得六　　（　　　）六三十六

五五（　　　）　　三五（　　　）　　（　　　）五二十五　　四六（　　　）

· 算一算 ·

1×3＝	5×3＝	4×5＝	6×1＝
2×3＝	5×5＝	1×2＝	3×6＝
4×2＝	6×4＝	2×2＝	5×4＝
3×3＝	1×4＝	6×5＝	3×2＝
1×1＝	2×1＝	3×5＝	1×6＝
6×2＝	4×1＝	5×1＝	4×6＝
3×4＝	2×5＝	5×6＝	2×4＝
4×3＝	1×5＝	6×3＝	6×6＝

· 比大小 ·

2×1〇1	5×1〇4	3×4〇7	5×3〇18
4×3〇12	2×3〇7	2×2〇6	1×3〇1
3×6〇15	1×6〇7	5×5〇25	4×2〇8
6×6〇24	4×5〇20	3×3〇6	1×4〇5
5×5〇20	1×5〇15	2×2〇4	3×1〇4
4×5〇9	4×6〇10	5×6〇30	6×6〇41
3×5〇12	6×4〇25	4×4〇14	3×3〇9
2×5〇10	5×5〇35	6×3〇9	6×5〇40

时间：＿＿＿＿＿＿

点评：对＿＿＿题 ☺

　　　错＿＿＿题 ☹

正确率：＿＿＿％

错题再做：

扫码查答案

3

1~6的乘法口诀（4）

· 把口诀补充完整 ·

三三得（　）	一四得（　）	一六得（　）	五五（　）
三四（　）	四四（　）	二二得（　）	一三得（　）
四六（　）	五六（　）	三（　）得九	一（　）得四
四（　）十六	一（　）得五	（　）二得四	（　）三得三
三（　）十八	四（　）二十四	（　）五二十	（　）五二十五
（　）四十二	（　）四十六	二（　）得四	一（　）得三
二（　）十二	五（　）三十	（　）五十五	（　）六得六
（　）二得二	（　）三得六	三（　）十二	二（　）一十
二（　）得六	四（　）二十	（　）六二十四	（　）六三十六

· 在括号里填入合适的数 ·

（　）×3＝9	（　）×1＝4	（　）×2＝10	（　）×4＝24
（　）×1＝3	（　）×1＝6	（　）×5＝30	（　）×6＝24
（　）×5＝15	（　）×3＝3	（　）×1＝1	（　）×2＝4
（　）×4＝20	（　）×5＝5	（　）×3＝18	（　）×2＝8
（　）×4＝4	（　）×6＝18	（　）×1＝5	（　）×6＝36
（　）×1＝2	（　）×6＝6	（　）×3＝12	（　）×3＝6
（　）×3＝15	（　）×2＝6	（　）×5＝25	（　）×2＝12
（　）×2＝2	（　）×4＝12	（　）×6＝12	（　）×6＝30

· 算一算 ·

4×2+1＝	3×4+2＝	5×3-7＝	5×4-2＝
1×1+12＝	1×5+18＝	4×2-4＝	4×3-5＝
3×4+15＝	5×1+27＝	3×5-4＝	5×5-10＝
5×5+27＝	1×6+36＝	5×1-3＝	2×5-4＝
2×2-3＝	3×1-3＝	6×2+5＝	3×6+4＝
5×3+4＝	4×5+4＝	3×6-5＝	6×5-20＝
6×2+33＝	6×3+17＝	6×3-10＝	4×6-4＝
1×2+9＝	2×3+35＝	6×4-20＝	6×6-22＝

时间：_____ 🐻

点评：对_____题 ☺

　　　错_____题 ☹

正确率：_____% 🐰

错题再做：

扫码查答案

4

· 算一算 ·

3×1 =	4×4 =	2×6 =	5×2 =
5×1 =	6×3 =	1×1 =	3×2 =
5×5 =	6×1 =	6×5 =	3×4 =
2×1 =	2×2 =	3×5 =	1×5 =
4×3 =	2×5 =	5×6 =	6×6 =
4×2 =	5×3 =	2×3 =	3×3 =
1×2 =	1×3 =	6×2 =	5×4 =
1×4 =	1×6 =	3×6 =	6×4 =
4×1 =	4×5 =	2×4 =	4×6 =

· 在括号里填入合适的数 ·

(　)×1 = 4	(　)×6 = 24	(　)×4 = 20	(　)×1 = 2
(　)×5 = 15	(　)×3 = 18	(　)×5 = 5	(　)×2 = 6
(　)×1 = 1	(　)×5 = 25	(　)×1 = 6	(　)×5 = 10
(　)×3 = 9	(　)×4 = 4	(　)×5 = 30	(　)×2 = 8
(　)×3 = 3	(　)×3 = 6	(　)×4 = 12	(　)×4 = 16
(　)×6 = 18	(　)×4 = 24	(　)×3 = 12	(　)×1 = 5
(　)×4 = 8	(　)×2 = 10	(　)×6 = 12	(　)×6 = 30
(　)×3 = 15	(　)×5 = 20	(　)×2 = 2	(　)×2 = 4

· 算一算 ·

2×1-1 =	1×6-4 =	4×5-8 =	3×3-5 =
1×1-0 =	5×1-5 =	6×1-4 =	4×4-5 =
2×3-2 =	1×4-1 =	6×2-3 =	6×6-33 =
6×4-5 =	5×6-8 =	6×3-12 =	4×6-14 =
6×1-1 =	2×6-5 =	3×4-3 =	2×4-5 =
3×4-10 =	1×6-3 =	3×6-8 =	6×5-6 =
2×2-2 =	3×1-1 =	5×3-8 =	4×5-10 =
3×3-3 =	4×1-3 =	5×5-5 =	2×6-10 =

时间：_____

点评：对_____题 ☺

　　　错_____题 ☹

正确率：_____%

错题再做：

扫码查答案

5

1~6的乘法口诀（6）

· 算一算·

1×3 =	2×5 =	6×1 =	6×6 =
1×1 =	3×4 =	4×1 =	3×1 =
3×3 =	1×4 =	2×2 =	6×5 =
1×6 =	3×6 =	4×5 =	2×4 =
5×1 =	5×3 =	2×1 =	4×4 =
6×2 =	4×2 =	6×4 =	5×2 =
5×5 =	4×3 =	1×5 =	2×6 =
2×3 =	3×5 =	1×2 =	4×6 =
6×3 =	5×4 =	5×6 =	3×2 =

· 在括号里填入合适的数·

（　）×1 = 2	（　）×4 = 4	（　）×4 = 20	（　）×2 = 4
（　）×4 = 8	（　）×3 = 12	（　）×5 = 15	（　）×3 = 6
（　）×5 = 30	（　）×1 = 1	（　）×5 = 5	（　）×2 = 8
（　）×2 = 10	（　）×4 = 12	（　）×1 = 6	（　）×4 = 16
（　）×1 = 5	（　）×5 = 10	（　）×3 = 3	（　）×3 = 15
（　）×5 = 20	（　）×2 = 6	（　）×3 = 18	（　）×6 = 30
（　）×3 = 9	（　）×6 = 18	（　）×5 = 25	（　）×4 = 24
（　）×1 = 3	（　）×6 = 6	（　）×2 = 12	（　）×6 = 36

· 比大小·

1×1 ◯ 1	5×2 ◯ 8	6×1 ◯ 8	2×5 ◯ 7
4×4 ◯ 8	3×5 ◯ 8	3×4 ◯ 10	2×6 ◯ 12
5×4 ◯ 26	2×4 ◯ 10	3×3 ◯ 12	1×2 ◯ 3
4×1 ◯ 8	6×2 ◯ 8	4×6 ◯ 15	5×6 ◯ 19
2×4 ◯ 6	2×3 ◯ 5	3×2 ◯ 9	4×3 ◯ 15
5×4 ◯ 25	2×4 ◯ 18	5×5 ◯ 10	2×6 ◯ 15
5×1 ◯ 6	6×6 ◯ 12	3×6 ◯ 20	5×2 ◯ 15
2×2 ◯ 2	5×3 ◯ 20	6×4 ◯ 24	1×4 ◯ 1

时间：_____ 🐯

点评：对____题 ☺

　　　 错____题 ☹

正确率：_____% ✌

错题再做：

扫码查答案

6

· 在括号里填入合适的数 ·

( )×6=6   ( )×3=3   ( )×5=15   ( )×3=6
( )×1=1   ( )×5=25   ( )×2=6   ( )×4=16
( )×5=5   ( )×3=18   ( )×2=2   ( )×2=4
( )×6=18   ( )×6=24   ( )×4=4   ( )×2=8
( )×3=15   ( )×4=20   ( )×1=3   ( )×5=10
( )×3=9   ( )×1=4   ( )×2=10   ( )×5=20
( )×5=30   ( )×1=2   ( )×4=8   ( )×2=12
( )×4=12   ( )×1=5   ( )×6=12   ( )×6=36
( )×3=12   ( )×1=6   ( )×4=24   ( )×6=30

· 算一算 ·

1×6+13＝   2×1+23＝   4×3-5＝   5×3-14＝
3×4+24＝   5×3-8＝   1×6-4＝   4×3-10＝
5×3+8＝   6×1+25＝   3×4-5＝   2×6-8＝
5×6-12＝   4×5+23＝   1×4+61＝   4×6-13＝
1×4+13＝   1×6+27＝   3×4-7＝   3×6-15＝
5×4-2＝   6×3-1＝   3×6+28＝   4×1+21＝
5×6+17＝   5×1-2＝   5×6-15＝   2×1-1＝
1×6+36＝   2×3-4＝   6×3-12＝   6×6+25＝

· 比大小 ·

2×3 〇 7   5×2 〇 8   6×4 〇 25   4×4 〇 16
3×4 〇 10   2×2 〇 4   1×5 〇 15   6×5 〇 28
3×3 〇 6   1×4 〇 1   5×5 〇 20   4×3 〇 12
4×1 〇 8   2×5 〇 10   3×6 〇 15   5×6 〇 11
2×4 〇 10   5×5 〇 35   6×5 〇 40   1×5 〇 1
3×4 〇 7   2×2 〇 5   1×3 〇 1   5×5 〇 10
3×5 〇 12   4×4 〇 14   5×3 〇 18   5×6 〇 30
4×5 〇 9   3×3 〇 12   1×4 〇 5   2×5 〇 7

时间：_____ 🐻

点评：对____题 ☺

错____题 ☹

正确率：____% 🐰

错题再做：

扫码查答案

1~6的乘法口诀（8）

· 把口诀补充完整 ·

一四得（　　）　　四五（　　　）　　三（　　）十八　　（　　　）五一十

一二得（　　）　　三（　　）得九　　（　　　）四十二　　五（　　）三十

二三得（　　）　　四（　　）十六　　（　　　）二得二　　五（　　）二十五

三六（　　）　　三（　　）十五　　（　　　）六二十四　　（　　）六三十

三三得（　　）　　三（　　）十二　　（　　　）二得四　　（　　）六三十六

五五（　　）　　二（　　）得六　　四（　　）二十四　　六（　　）三十六

（　　　）三得六　　一（　　）得六　　（　　　）四得四　　二（　　）十二

三四（　　）　　二（　　）得四　　（　　　）五得五　　（　　）六十八

三五（　　）　　四（　　）二十　　（　　　）四十六　　（　　）六十二

· 算一算 ·

1×5 =	6×4 =	1×4 =	2×1 =
3×5 =	4×1 =	1×3 =	2×3 =
6×2 =	4×3 =	1×1 =	4×5 =
3×3 =	4×4 =	5×1 =	5×2 =
5×5 =	6×1 =	5×3 =	4×6 =
2×5 =	3×6 =	2×2 =	2×6 =
1×6 =	3×1 =	5×6 =	3×4 =
1×2 =	4×2 =	6×6 =	6×5 =

· 在括号里填入合适的数 ·

（　　）×4＝20	（　　）×2＝2	（　　）×1＝2	（　　）×4＝16
（　　）×5＝15	（　　）×1＝1	（　　）×2＝10	（　　）×3＝12
（　　）×3＝18	（　　）×1＝4	（　　）×1＝3	（　　）×5＝20
（　　）×6＝12	（　　）×5＝5	（　　）×2＝6	（　　）×2＝12
（　　）×4＝4	（　　）×6＝6	（　　）×6＝30	（　　）×3＝6
（　　）×6＝18	（　　）×5＝25	（　　）×1＝6	（　　）×2＝4
（　　）×4＝8	（　　）×1＝5	（　　）×3＝3	（　　）×6＝36
（　　）×4＝24	（　　）×3＝9	（　　）×4＝12	（　　）×6＝24
（　　）×2＝8	（　　）×5＝30	（　　）×5＝10	（　　）×3＝15

时间：＿＿＿＿＿＿

点评：对＿＿＿＿题 ☺

　　　　错＿＿＿＿题 ☹

正确率：＿＿＿＿％

错题再做：

扫码查答案

8

1~6的乘法口诀（9）

· 把口诀补充完整 ·

（　　）二得二	（　　）一得一	（　　）五二十	（　　）四得四
三（　　）十二	（　　）四十二	（　　）三得六	（　　）六十八
（　　）五得五	二（　　）十二	（　　）五一十	（　　）六三十六
二（　　）得八	三三得（　　）	（　　）五十五	二（　　）一十
（　　）六二十四	一（　　）得六	（　　）四得八	六（　　）三十六
一（　　）得一	四（　　）十六	二（　　）得四	一（　　）得四
三六（　　）	（　　）三得三	四（　　）二十四	一（　　）得二
（　　）六十二	四五（　　）	一五得（　　）	五六（　　）
（　　）二得四	一（　　）得五	（　　）三得九	一（　　）得三

· 算一算 ·

$3\times5=$	$1\times6=$	$6\times2=$	$4\times6=$
$1\times1=$	$1\times5=$	$5\times6=$	$3\times3=$
$3\times1=$	$2\times1=$	$3\times6=$	$5\times2=$
$3\times2=$	$2\times4=$	$6\times4=$	$2\times3=$
$6\times6=$	$5\times5=$	$5\times4=$	$6\times3=$
$4\times1=$	$4\times3=$	$6\times5=$	$4\times4=$
$1\times4=$	$3\times4=$	$5\times1=$	$1\times2=$
$2\times2=$	$4\times2=$	$2\times5=$	$2\times6=$
$2\times3+4=$	$5\times2+7=$	$1\times3+15=$	$6\times2+21=$
$3\times3+9=$	$5\times6+2=$	$6\times1+8=$	$5\times3+4=$
$3\times6+8=$	$2\times4+14=$	$3\times5+5=$	$2\times6+17=$
$3\times3+21=$	$6\times3+27=$	$1\times4+12=$	$2\times5+33=$
$4\times4+8=$	$3\times5+11=$	$6\times6+18=$	$2\times2+25=$
$3\times5+14=$	$4\times2+26=$	$3\times5+24=$	$4\times3+35=$
$2\times3+17=$	$1\times5+18=$	$4\times6+15=$	$1\times4+14=$
$5\times5+29=$	$6\times3+19=$	$2\times4+17=$	$4\times6+23=$

时间：_____

点评：对_____题 ☺

　　　错_____题 ☹

正确率：_____%

错题再做：

扫码查答案

9

1~6的乘法口诀（10）

·把口诀补充完整·

一一得（　）	四（　）二十四	（　）三得六	（　）六三十六
四（　）二十	二二得（　）	（　）五十五	一（　）得三
一二得（　）	（　）五得五	四（　）十六	六（　）三十六
一四得（　）	三（　）十八	（　）四十六	一（　）得五
三四（　）	三（　）十五	（　）二得二	六六（　）
（　）一得一	二（　）得六	五五（　）	（　）六二十四
二三得（　）	（　）五二十	三（　）得九	（　）六三十
一（　）得二	四四（　）	（　）四十二	一六得（　）
三（　）十二	三五（　）	（　）五二十五	四六（　）

·算一算·

$1×1=$	$4×1=$	$3×5=$	$1×6=$
$5×1=$	$2×1=$	$6×2=$	$4×6=$
$4×5=$	$1×3=$	$5×3=$	$6×1=$
$5×5=$	$1×2=$	$2×3=$	$3×6=$
$6×5=$	$4×2=$	$5×6=$	$2×4=$
$4×3=$	$1×5=$	$6×3=$	$6×6=$
$3×4=$	$2×5=$	$1×4=$	$5×4=$
$6×4=$	$2×2=$	$3×3=$	$3×2=$

·比大小·

$4×5○20$	$4×6○18$	$3×6○24$	$5×5○20$
$1×5○6$	$4×4○25$	$2×4○24$	$3×5○15$
$2×5○14$	$6×5○35$	$1×3○9$	$4×5○17$
$6×1○5$	$5×2○14$	$3×4○13$	$3×3○8$
$6×6○28$	$4×3○20$	$5×3○16$	$1×4○8$
$5×5○22$	$1×5○14$	$3×2○8$	$3×5○24$
$4×6○24$	$3×3○17$	$2×2○8$	$6×3○17$
$2×6○15$	$4×6○27$	$5×2○25$	$4×2○10$

时间：_____

点评：对_____题 ☺

　　　错_____题 ☹

正确率：_____%

错题再做：

扫码查答案

· 把口诀补充完整 ·

一四得（　　　） 四（　　　）二十 （　　　）六二十四 （　　　）六得六

（　　　）二得二 （　　　）三得六 三三得（　　　） 二（　　　）一十

二（　　　）得六 二（　　　）十二 五（　　　）三十 （　　　）六三十六

四六（　　　） 五六（　　　） （　　　）三得三 三（　　　）得九

一（　　　）得五 （　　　）四十二 四（　　　）十六 三（　　　）十二

一（　　　）得四 （　　　）五十五 一六得（　　　） 五五（　　　）

三四（　　　） 四四（　　　） 二二得（　　　） 一三得（　　　）

三（　　　）十八 四（　　　）二十四 （　　　）五二十 （　　　）五二十五

（　　　）二得四 （　　　）四十六 二（　　　）得四 一（　　　）得三

· 在括号里填入合适的数 ·

（　　　）×1＝6 　　（　　　）×4＝4 　　（　　　）×1＝5 　　（　　　）×3＝6

（　　　）×5＝5 　　（　　　）×1＝3 　　（　　　）×5＝30 　　（　　　）×6＝24

（　　　）×6＝18 　　（　　　）×4＝20 　　（　　　）×3＝18 　　（　　　）×2＝8

（　　　）×1＝2 　　（　　　）×2＝6 　　（　　　）×6＝36 　　（　　　）×3＝12

（　　　）×6＝6 　　（　　　）×3＝15 　　（　　　）×4＝24 　　（　　　）×2＝12

（　　　）×2＝2 　　（　　　）×4＝12 　　（　　　）×6＝12 　　（　　　）×6＝30

（　　　）×3＝3 　　（　　　）×3＝9 　　（　　　）×2＝10 　　（　　　）×5＝25

（　　　）×1＝4 　　（　　　）×5＝15 　　（　　　）×1＝1 　　（　　　）×2＝4

· 算一算 ·

$1×2+3=$ 　　$2×4+6=$ 　　$2×5-4=$ 　　$6×5-20=$

$4×4+14=$ 　　$3×6-1=$ 　　$3×3+24=$ 　　$3×5-12=$

$6×2+13=$ 　　$4×3+17=$ 　　$5×3-7=$ 　　$2×6-5=$

$3×2+12=$ 　　$4×5+18=$ 　　$4×1-4=$ 　　$6×3-5=$

$3×5+27=$ 　　$3×6+36=$ 　　$5×3-3=$ 　　$5×5-4=$

$6×2-8=$ 　　$3×2-3=$ 　　$2×2+15=$ 　　$4×6+4=$

$3×2+11=$ 　　$4×3+15=$ 　　$2×4+27=$ 　　$3×6+15=$

$2×4+18=$ 　　$6×1+57=$ 　　$6×3-15=$ 　　$2×4+12=$

时间：_____

点评：对____题 ☺

　　　　错____题 ☹

正确率：____％ ✌

错题再做：

扫码查答案

11

1~6的乘法口诀（12）

2×6 =　　　　3×1 =　　　　4×4 =　　　　5×2 =

5×1 =　　　　6×3 =　　　　1×1 =　　　　3×2 =

1×6 =　　　　1×4 =　　　　3×6 =　　　　6×4 =

6×5 =　　　　5×5 =　　　　6×1 =　　　　1×5 =

2×1 =　　　　2×2 =　　　　3×5 =　　　　3×4 =

6×2 =　　　　1×2 =　　　　1×3 =　　　　5×4 =

4×1 =　　　　4×5 =　　　　4×6 =　　　　2×4 =

2×5 =　　　　5×6 =　　　　4×3 =　　　　6×6 =

4×2 =　　　　5×3 =　　　　2×3 =　　　　3×3 =

· 在括号里填入合适的数 ·

（　　）×6 = 12　　（　　）×4 = 8　　（　　）×2 = 10　　（　　）×6 = 30

（　　）×3 = 9　　（　　）×4 = 4　　（　　）×5 = 30　　（　　）×2 = 8

（　　）×3 = 12　　（　　）×3 = 6　　（　　）×4 = 12　　（　　）×4 = 16

（　　）×6 = 18　　（　　）×4 = 24　　（　　）×3 = 3　　（　　）×1 = 5

（　　）×5 = 25　　（　　）×1 = 1　　（　　）×3 = 15　　（　　）×5 = 10

（　　）×1 = 6　　（　　）×5 = 20　　（　　）×2 = 2　　（　　）×2 = 4

（　　）×3 = 18　　（　　）×1 = 4　　（　　）×4 = 20　　（　　）×1 = 2

（　　）×6 = 24　　（　　）×5 = 15　　（　　）×5 = 5　　（　　）×2 = 6

· 算一算 ·

4×1-3 =　　　　2×1-2 =　　　　5×5-7 =　　　　2×4-3 =

5×6-11 =　　　6×3-9 =　　　　6×4-15 =　　　4×6-20 =

5×3-7 =　　　　2×2-4 =　　　　3×1-2 =　　　　4×5-9 =

3×4-8 =　　　　1×6-5 =　　　　3×6-14 =　　　6×5-17 =

4×4-5 =　　　　3×3-4 =　　　　2×6-6 =　　　　2×5-5 =

1×5-3 =　　　　5×5-15 =　　　6×2-8 =　　　　3×4-6 =

3×3-4 =　　　　1×4-2 =　　　　5×2-4 =　　　　5×6-13 =

2×4-4 =　　　　3×6-14 =　　　5×5-18 =　　　3×6+48 =

时间：_____

点评：对_____题　😊

　　　错_____题　☹

正确率：_____%　✌

错题再做：

扫码查答案

· 算一算 ·

2×2 =	3×3 =	3×6 =	1×4 =
6×5 =	1×6 =	4×5 =	5×5 =
2×5 =	2×4 =	1×5 =	2×6 =
4×3 =	1×3 =	3×1 =	6×6 =
1×2 =	1×1 =	4×1 =	6×1 =
3×4 =	2×3 =	4×6 =	3×5 =
2×1 =	6×3 =	5×6 =	3×2 =
5×4 =	5×1 =	5×3 =	4×4 =
6×4 =	6×2 =	4×2 =	5×2 =

· 在括号里填入合适的数 ·

(　)×5 = 10	(　)×1 = 5	(　)×3 = 3	(　)×3 = 9
(　)×4 = 4	(　)×5 = 20	(　)×3 = 18	(　)×6 = 30
(　)×2 = 6	(　)×1 = 2	(　)×3 = 6	(　)×2 = 4
(　)×3 = 12	(　)×3 = 15	(　)×5 = 25	(　)×4 = 24
(　)×6 = 18	(　)×4 = 8	(　)×5 = 15	(　)×4 = 20
(　)×1 = 6	(　)×5 = 30	(　)×5 = 5	(　)×2 = 8
(　)×1 = 1	(　)×2 = 10	(　)×4 = 12	(　)×4 = 16
(　)×1 = 3	(　)×6 = 6	(　)×2 = 12	(　)×6 = 36

· 比大小 ·

2×2 ○ 5	4×2 ○ 8	4×3 ○ 15	5×5 ○ 19
4×1 ○ 7	4×6 ○ 12	3×6 ○ 25	5×3 ○ 15
2×5 ○ 14	5×3 ○ 11	6×4 ○ 24	4×4 ○ 18
3×4 ○ 16	3×3 ○ 17	6×2 ○ 12	2×3 ○ 8
1×1 ○ 4	5×6 ○ 28	5×1 ○ 7	3×5 ○ 17
2×4 ○ 8	3×5 ○ 14	3×6 ○ 18	2×6 ○ 15
4×4 ○ 26	3×4 ○ 10	5×3 ○ 18	2×2 ○ 5
2×6 ○ 15	5×5 ○ 18	2×3 ○ 10	4×6 ○ 35

时间：_____

点评：对_____题 ☺

　　　错_____题 ☹

正确率：_____%

错题再做：

扫码查答案

1~6的乘法口诀（14）

· 在括号里填入合适的数 ·

（　　）×1＝6　　（　　）×4＝20　　（　　）×2＝8　　（　　）×6＝30

（　　）×3＝15　（　　）×3＝12　（　　）×4＝24　（　　）×5＝10

（　　）×6＝24　（　　）×6＝6　　（　　）×3＝3　　（　　）×3＝6

（　　）×5＝15　（　　）×6＝18　（　　）×4＝4　　（　　）×1＝3

（　　）×4＝12　（　　）×1＝5　　（　　）×6＝12　（　　）×6＝36

（　　）×5＝25　（　　）×1＝1　　（　　）×3＝18　（　　）×2＝6

（　　）×1＝2　　（　　）×3＝9　　（　　）×5＝20　（　　）×2＝10

（　　）×1＝4　　（　　）×5＝30　（　　）×4＝8　　（　　）×2＝12

（　　）×2＝2　　（　　）×5＝5　　（　　）×2＝4　　（　　）×4＝16

· 算一算 ·

3×6+7＝　　　　5×2-2＝　　　　4×6-15＝　　　　5×1-2＝

2×4+13＝　　　3×6+17＝　　　4×4-12＝　　　1×6-5＝

2×6-12＝　　　3×5+38＝　　　2×4+61＝　　　4×1-1＝

6×4-21＝　　　3×3-8＝　　　5×6+28＝　　　4×5+21＝

2×4+37＝　　　1×3-2＝　　　5×3-12＝　　　4×6+57＝

3×4+15＝　　　4×3-8＝　　　6×6-14＝　　　2×3+29＝

4×1+13＝　　　5×3+23＝　　　4×3-7＝　　　6×3-14＝

3×3+58＝　　　6×3+25＝　　　2×4-5＝　　　2×6+58＝

· 比大小 ·

1×3 ◯ 6　　　2×4 ◯ 15　　　5×5 ◯ 17　　　3×3 ◯ 6

2×5 ◯ 9　　　6×3 ◯ 12　　　1×4 ◯ 4　　　2×5 ◯ 9

6×3 ◯ 22　　5×2 ◯ 18　　　6×4 ◯ 15　　　4×4 ◯ 16

3×3 ◯ 10　　2×2 ◯ 3　　　1×5 ◯ 6　　　5×5 ◯ 28

4×3 ◯ 17　　3×5 ◯ 18　　　3×6 ◯ 18　　　5×2 ◯ 11

1×5 ◯ 12　　3×4 ◯ 14　　　3×3 ◯ 8　　　5×6 ◯ 20

4×4 ◯ 18　　5×5 ◯ 22　　　3×5 ◯ 18　　　5×5 ◯ 20

3×4 ◯ 15　　6×2 ◯ 15　　　1×3 ◯ 4　　　3×6 ◯ 14

时间：＿＿＿＿＿＿

点评：对＿＿＿题 ☺

　　　错＿＿＿题 ☹

正确率：＿＿＿％

错题再做：

扫码查答案

14

· 把口诀补充完整 ·

一七得（　　）	六八（　　）	一九得（　　）	八八（　　）
四七（　　）	六九（　　）	一八得（　　）	四八（　　）
二九（　　）	五七（　　）	五九（　　）	七七（　　）
七八（　　）	二八（　　）	三七（　　）	八九（　　）
三八（　　）	七九（　　）	二七（　　）	三九（　　）
六七（　　）	五八（　　）	四九（　　）	九九（　　）
二（　　）十六	六（　　）四十八	（　　）七十四	（　　）八二十四
四（　　）二十八	六（　　）五十四	（　　）八十六	（　　）九四十五
七（　　）六十三	（　　）八四十八	（　　）九二十七	八（　　）七十二

· 算一算 ·

$7×3=$	$1×8=$	$9×3=$	$9×2=$
$1×7=$	$7×8=$	$5×9=$	$7×4=$
$5×8=$	$5×7=$	$6×9=$	$9×4=$
$2×7=$	$8×6=$	$9×1=$	$4×8=$
$6×7=$	$9×7=$	$4×7=$	$9×6=$
$3×8=$	$8×1=$	$8×9=$	$7×6=$
$8×2=$	$9×5=$	$7×7=$	$8×8=$
$3×7=$	$4×9=$	$8×5=$	$9×9=$

· 在括号里填入合适的数 ·

（　　）$×3=21$	（　　）$×1=8$	（　　）$×2=18$	（　　）$×4=36$
（　　）$×5=40$	（　　）$×9=9$	（　　）$×6=42$	（　　）$×8=64$
（　　）$×4=28$	（　　）$×3=24$	（　　）$×9=27$	（　　）$×7=63$
（　　）$×1=9$	（　　）$×7=49$	（　　）$×8=72$	（　　）$×7=28$
（　　）$×8=24$	（　　）$×9=45$	（　　）$×9=63$	（　　）$×4=32$
（　　）$×7=7$	（　　）$×7=56$	（　　）$×5=45$	（　　）$×9=81$
（　　）$×5=35$	（　　）$×8=32$	（　　）$×9=54$	（　　）$×6=48$
（　　）$×2=14$	（　　）$×8=16$	（　　）$×9=36$	（　　）$×6=54$

时间：_____

点评：对_____题 ☺

　　　　错_____题 ☹

正确率：_____%

错题再做：

扫码查答案

15

7~9的乘法口诀（2）

· 把口诀补充完整·

二八（　　　）　　一七得（　　　）　　三九（　　　）　　四八（　　　）

二七（　　　）　　三八（　　　）　　二九（　　　）　　八九（　　　）

五八（　　　）　　六九（　　　）　　七八（　　　）　　六七（　　　）

一九得（　　　）　　六八（　　　）　　四七（　　　）　　九九（　　　）

二（　　　）十八　　一（　　　）得八　　二（　　　）十四　　（　　　）七三十五

五（　　　）三十五　　（　　　）七二十八　　六（　　　）四十二　　三（　　　）二十一

（　　　）七四十二　　七（　　　）五十六　　（　　　）七得七　　（　　　）八五十六

一（　　　）得九　　三（　　　）二十四　　（　　　）八四十　　（　　　）九三十六

（　　　）九十八　　三（　　　）二十七　　（　　　）九五十四　　（　　　）九七十二

· 算一算·

1×9 =	8×4 =	3×9 =	7×2 =
8×3 =	7×1 =	2×9 =	6×8 =
8×7 =	7×9 =	7×5 =	2×8 =
1×8 =	6×7 =	9×5 =	9×8 =
7×7 =	4×7 =	6×9 =	8×8 =
8×5 =	4×9 =	8×9 =	7×4 =
8×2 =	3×7 =	8×6 =	9×9 =
3×8 =	9×3 =	2×7 =	9×6 =
1×8+5 =	8×6+8 =	7×3+7 =	2×7+5 =
7×7+7 =	9×5+7 =	5×8+10 =	4×8+6 =
5×7+3 =	3×8+6 =	8×1+10 =	9×7+9 =
3×8+40 =	7×5+15 =	9×7+10 =	9×2+23 =
6×7+21 =	1×8+16 =	7×8+3 =	2×9+8 =
7×8+3 =	7×3+15 =	8×7+11 =	9×1+21 =
4×7+23 =	9×1+15 =	8×3+12 =	5×8+24 =
8×9+5 =	7×7+21 =	8×5+18 =	9×4+8 =

时间：_____

点评：对_____题 ☺

　　　错_____题 ☹

正确率：_____%

错题再做：

16

· 把口诀补充完整 ·

六八（ ）	五七（ ）	六九（ ）	三七（ ）
二九（ ）	七九（ ）	三八（ ）	八八（ ）
一八得（ ）	五九（ ）	七八（ ）	四九（ ）
五八（ ）	三九（ ）	四七（ ）	八九（ ）
二（ ）十八	六（ ）四十八	七（ ）六十三	七（ ）四十九
三（ ）二十四	二（ ）十四	三（ ）二十七	八（ ）七十二
（ ）八四十	（ ）七四十九	（ ）八五十六	（ ）八三十二
（ ）九十八	（ ）七四十二	（ ）七三十五	（ ）九三十六
七（ ）五十六	（ ）七十四	（ ）九二十七	八（ ）六十四

· 算一算 ·

7×1 =	7×5 =	4×9 =	9×6 =
6×7 =	3×8 =	9×5 =	9×8 =
8×1 =	7×3 =	8×5 =	7×2 =
8×2 =	6×9 =	9×7 =	9×9 =
2×7 =	8×3 =	8×7 =	8×9 =
5×7 =	1×8 =	5×8 =	8×8 =
4×7 =	7×7 =	9×3 =	2×8 =
8×6 =	1×9 =	3×7 =	7×9 =

· 比大小 ·

5×8 ◯ 40	1×9 ◯ 9	7×8 ◯ 15	8×5 ◯ 13
2×9 ◯ 20	4×8 ◯ 40	9×1 ◯ 10	8×8 ◯ 16
3×8 ◯ 15	1×8 ◯ 10	4×9 ◯ 40	9×5 ◯ 50
2×8 ◯ 10	7×8 ◯ 56	8×9 ◯ 27	8×3 ◯ 30
9×2 ◯ 18	5×9 ◯ 45	8×9 ◯ 72	9×4 ◯ 25
3×9 ◯ 27	6×7 ◯ 40	4×7 ◯ 30	8×6 ◯ 40
7×5 ◯ 35	6×8 ◯ 50	9×6 ◯ 58	9×3 ◯ 30
9×3 ◯ 12	8×8 ◯ 72	8×9 ◯ 36	5×9 ◯ 40

时间：_____

点评：对_____题 ☺

　　　错_____题 ☹

正确率：_____%

错题再做：

扫码查答案

17

7~9的乘法口诀（4）

7×1 =	3×8 =	6×7 =	9×4 =
1×8 =	7×8 =	9×3 =	6×8 =
7×3 =	5×8 =	5×9 =	9×8 =
8×2 =	8×6 =	9×7 =	7×4 =
8×5 =	8×1 =	2×9 =	9×9 =
2×7 =	8×4 =	5×7 =	9×2 =
6×9 =	9×1 =	4×7 =	8×8 =
7×7 =	9×5 =	7×9 =	7×2 =
3×7 =	1×9 =	8×7 =	7×6 =

· 在括号里填入合适的数 ·

(　)×7 = 7	(　)×8 = 16	(　)×8 = 56	(　)×6 = 54
(　)×8 = 8	(　)×9 = 27	(　)×8 = 72	(　)×6 = 48
(　)×7 = 35	(　)×5 = 40	(　)×2 = 18	(　)×8 = 64
(　)×2 = 14	(　)×8 = 40	(　)×5 = 45	(　)×9 = 72
(　)×4 = 28	(　)×8 = 24	(　)×9 = 63	(　)×7 = 42
(　)×3 = 21	(　)×9 = 36	(　)×7 = 56	(　)×9 = 81
(　)×7 = 21	(　)×9 = 45	(　)×7 = 49	(　)×7 = 28
(　)×3 = 24	(　)×8 = 48	(　)×3 = 27	(　)×4 = 32

· 算一算 ·

3×7+5 =	8×4+15 =	1×9+3 =	9×6+12 =
7×5−13 =	8×6−22 =	4×9−14 =	6×8+5 =
1×9+15 =	5×7+5 =	8×3+12 =	7×2−10 =
9×5+25 =	8×1+9 =	1×7−3 =	6×9+7 =
7×9+21 =	2×9+17 =	9×3+10 =	7×4+12 =
3×9+31 =	5×9−14 =	8×9+5 =	8×8+21 =
8×2+23 =	8×4−22 =	8×6+9 =	9×6+14 =
8×4+35 =	4×9+22 =	6×8−14 =	9×5−25 =

时间：＿＿＿＿＿＿＿ 🐻

点评：对＿＿＿题 ☺

　　　错＿＿＿题 ☹

正确率：＿＿＿＿% ✌

错题再做：

扫码查答案

18

· 算一算 ·

1×7 =	4×9 =	7×5 =	2×8 =
8×3 =	3×9 =	9×6 =	4×8 =
8×9 =	7×3 =	3×8 =	9×2 =
4×7 =	7×8 =	2×9 =	9×8 =
6×7 =	2×7 =	8×4 =	6×8 =
5×8 =	9×7 =	1×8 =	7×6 =
7×7 =	9×5 =	3×7 =	9×9 =
7×1 =	8×5 =	9×1 =	8×8 =
7×5 =	8×1 =	9×3 =	8×7 =

· 在括号里填入合适的数 ·

(　)×5＝35	(　)×1＝7	(　)×9＝9	(　)×4＝36
(　)×6＝42	(　)×9＝54	(　)×2＝16	(　)×7＝14
(　)×1＝9	(　)×8＝32	(　)×7＝63	(　)×9＝18
(　)×1＝8	(　)×3＝27	(　)×2＝14	(　)×6＝48
(　)×7＝21	(　)×8＝40	(　)×8＝72	(　)×8＝64
(　)×4＝28	(　)×8＝8	(　)×7＝56	(　)×9＝36
(　)×8＝16	(　)×8＝48	(　)×9＝45	(　)×6＝54
(　)×3＝21	(　)×9＝63	(　)×8＝24	(　)×9＝72

· 比大小 ·

1×7 ◯ 15	8×8 ◯ 64	6×7 ◯ 13	7×7 ◯ 50
3×7 ◯ 19	2×7 ◯ 14	9×2 ◯ 11	4×9 ◯ 36
7×2 ◯ 10	9×1 ◯ 8	3×8 ◯ 24	5×7 ◯ 12
7×4 ◯ 25	9×5 ◯ 48	3×7 ◯ 22	6×9 ◯ 54
5×7 ◯ 40	8×6 ◯ 48	3×9 ◯ 25	8×7 ◯ 60
9×9 ◯ 80	7×1 ◯ 5	4×8 ◯ 32	2×9 ◯ 23
8×2 ◯ 20	7×7 ◯ 49	1×8 ◯ 8	7×9 ◯ 63
4×7 ◯ 28	7×6 ◯ 45	7×3 ◯ 25	9×8 ◯ 70

时间：_____ 🐯

点评：对____题 ☺

　　　错____题 ☹

正确率：____%

错题再做：

扫码查答案

19

· 把口诀补充完整 ·

二九（ 　　 ）　　二七（ 　　 ）　　三八（ 　　 ）　　八九（ 　　 ）

二八（ 　　 ）　　五八（ 　　 ）　　六七（ 　　 ）　　三九（ 　　 ）

一七得（ 　　 ）　六九（ 　　 ）　　四八（ 　　 ）　　七八（ 　　 ）

六八（ 　　 ）　　一九得（ 　　 ）　四七（ 　　 ）　　九九（ 　　 ）

一（ 　　 ）得八　二（ 　　 ）十八　二（ 　　 ）十四　（ 　　 ）七三十五

七（ 　　 ）五十六　五（ 　　 ）三十五　（ 　　 ）七二十八　（ 　　 ）七得七

六（ 　　 ）四十二　（ 　　 ）七四十二　三（ 　　 ）二十一　（ 　　 ）八五十六

（ 　　 ）八四十　三（ 　　 ）二十四　（ 　　 ）九十八　三（ 　　 ）二十七

（ 　　 ）九五十四　一（ 　　 ）得九　（ 　　 ）九三十六　（ 　　 ）九七十二

· 算一算 ·

8×6 =	9×1 =	2×7 =	4×8 =
6×7 =	9×7 =	9×6 =	3×8 =
1×8 =	8×1 =	8×9 =	7×6 =
7×3 =	8×8 =	9×3 =	4×7 =
8×2 =	9×5 =	7×7 =	9×2 =
3×7 =	4×9 =	8×5 =	9×9 =
1×7 =	7×8 =	7×4 =	5×9 =
6×9 =	5×8 =	5×7 =	9×4 =

· 在括号里填入合适的数 ·

（ ）×3 = 24	（ ）×4 = 28	（ ）×9 = 27	（ ）×1 = 9
（ ）×7 = 49	（ ）×8 = 72	（ ）×7 = 28	（ ）×7 = 63
（ ）×5 = 35	（ ）×9 = 54	（ ）×6 = 48	（ ）×2 = 14
（ ）×8 = 32	（ ）×9 = 36	（ ）×6 = 54	（ ）×3 = 21
（ ）×8 = 16	（ ）×1 = 8	（ ）×8 = 64	（ ）×2 = 18
（ ）×5 = 40	（ ）×4 = 36	（ ）×9 = 9	（ ）×6 = 42
（ ）×8 = 24	（ ）×4 = 32	（ ）×9 = 45	（ ）×9 = 63
（ ）×5 = 45	（ ）×7 = 7	（ ）×9 = 81	（ ）×7 = 56

时间：_____ 🐷

点评：对_____题 ☺

　　　错_____题 ☹

正确率：_____% 🐰

错题再做：

扫码查答案

· 把口诀补充完整 ·

一八得( )	五九( )	二( )十八	六( )四十八
七八( )	四九( )	七( )六十三	七( )四十九
五八( )	三九( )	三( )二十四	二( )十四
四七( )	八九( )	三( )二十七	八( )七十二
六八( )	五七( )	( )八四十	( )七十四
六九( )	三七( )	( )八五十六	( )八三十二
二九( )	七九( )	( )九十八	( )七四十九
三八( )	八八( )	( )七三十五	( )九三十六
( )九二十七	七( )五十六	八( )六十四	( )七四十二

· 算一算 ·

1×9 =	3×7 =	8×6 =	7×9 =
9×7 =	9×9 =	8×2 =	6×9 =
8×7 =	2×7 =	8×9 =	8×3 =
7×5 =	4×9 =	7×1 =	9×6 =
3×8 =	6×7 =	9×8 =	9×5 =
8×5 =	8×1 =	7×2 =	7×3 =
5×8 =	1×8 =	5×7 =	8×8 =
9×3 =	4×7 =	2×8 =	7×7 =

· 比大小 ·

8×9 ○ 53	2×8 ○ 18	7×8 ○ 56	8×3 ○ 28
5×9 ○ 54	9×2 ○ 20	9×4 ○ 35	8×9 ○ 80
6×7 ○ 50	4×7 ○ 27	8×6 ○ 50	3×9 ○ 27
9×3 ○ 28	8×8 ○ 70	5×9 ○ 40	8×9 ○ 65
1×9 ○ 15	5×8 ○ 47	7×5 ○ 38	7×8 ○ 65
4×8 ○ 40	2×9 ○ 22	8×8 ○ 62	9×1 ○ 42
7×5 ○ 51	6×8 ○ 45	9×3 ○ 42	9×6 ○ 44
1×8 ○ 12	9×5 ○ 65	3×8 ○ 35	4×9 ○ 30

时间：_____

点评：对_____题 ☺
　　　错_____题 ☹
正确率：_____%

错题再做：

扫码查答案

· 算一算 ·

5×8 =	5×9 =	7×3 =	8×6 =
7×8 =	1×8 =	9×3 =	6×8 =
8×2 =	9×8 =	9×7 =	7×4 =
8×5 =	8×1 =	2×9 =	9×9 =
7×1 =	7×2 =	6×7 =	1×9 =
8×8 =	7×7 =	5×7 =	8×4 =
9×2 =	3×7 =	8×7 =	7×6 =
9×5 =	9×1 =	4×7 =	9×4 =
2×7 =	6×9 =	7×9 =	3×8 =

· 在括号里填入合适的数 ·

(　)×8 = 40	(　)×5 = 45	(　)×7 = 35	(　)×8 = 64
(　)×5 = 40	(　)×2 = 18	(　)×2 = 14	(　)×7 = 21
(　)×9 = 72	(　)×9 = 45	(　)×7 = 49	(　)×7 = 28
(　)×3 = 24	(　)×8 = 48	(　)×3 = 27	(　)×7 = 7
(　)×4 = 32	(　)×9 = 27	(　)×8 = 72	(　)×6 = 54
(　)×8 = 8	(　)×8 = 16	(　)×8 = 56	(　)×3 = 21
(　)×6 = 48	(　)×9 = 36	(　)×7 = 56	(　)×9 = 81

· 算一算 ·

9×5−25 =	8×1+19 =	1×7+23 =	6×9−27 =
3×9−13 =	5×9+14 =	9×6+34 =	8×8−21 =
8×4−15 =	8×8+15 =	6×8−24 =	2×9+18 =
3×7+15 =	8×4−15 =	1×9+23 =	9×6−12 =
7×5+18 =	8×6−32 =	5×9−24 =	4×9+24 =
9×5−30 =	4×9−17 =	8×4−12 =	7×4−14 =
3×9+15 =	5×7−25 =	8×3+10 =	7×2−8 =
8×2+42 =	9×3+12 =	8×6+29 =	8×9−35 =

时间：_____

点评：对____题 ☺

　　　错____题 ☹

正确率：____%

错题再做：

扫码查答案

22

7~9的乘法口诀（9）

· 算一算 ·

2×7 =	7×3 =	3×8 =	9×2 =
9×5 =	3×7 =	7×7 =	7×8 =
7×1 =	8×5 =	9×1 =	8×8 =
4×7 =	9×9 =	2×9 =	9×8 =
6×7 =	7×5 =	8×9 =	6×8 =
1×7 =	8×4 =	4×9 =	2×8 =
8×3 =	3×9 =	9×6 =	4×8 =
1×8 =	7×5 =	8×1 =	9×7 =
9×3 =	5×8 =	8×7 =	7×6 =

· 在括号里填入合适的数 ·

（　）×7 = 63	（　）×9 = 18	（　）×1 = 9	（　）×8 = 32
（　）×1 = 8	（　）×3 = 27	（　）×9 = 36	（　）×6 = 48
（　）×2 = 14	（　）×8 = 16	（　）×9 = 45	（　）×6 = 54
（　）×9 = 63	（　）×3 = 21	（　）×8 = 24	（　）×9 = 54
（　）×7 = 21	（　）×4 = 36	（　）×8 = 72	（　）×8 = 64
（　）×5 = 35	（　）×1 = 7	（　）×9 = 9	（　）×8 = 40
（　）×6 = 42	（　）×9 = 72	（　）×2 = 16	（　）×7 = 14
（　）×8 = 8	（　）×4 = 28	（　）×7 = 56	（　）×8 = 48

· 比大小 ·

6×4 ○ 25	9×5 ○ 38	2×7 ○ 18	6×8 ○ 48
6×7 ○ 40	8×6 ○ 48	3×9 ○ 30	5×7 ○ 34
8×6 ○ 45	1×7 ○ 20	3×8 ○ 14	7×7 ○ 48
9×2 ○ 17	2×7 ○ 12	1×8 ○ 10	5×9 ○ 46
4×7 ○ 28	2×9 ○ 23	2×7 ○ 16	9×7 ○ 70
2×7 ○ 16	8×7 ○ 49	9×2 ○ 21	4×9 ○ 40
7×5 ○ 42	9×1 ○ 7	3×8 ○ 24	6×7 ○ 32
9×9 ○ 72	7×1 ○ 15	4×8 ○ 32	9×3 ○ 25

时间：_____ 🐻

点评：对____题 ☺

错____题 ☹

正确率：____% ✌

错题再做：

扫码查答案

23

7~9的乘法口诀（10）

· 在括号里填入合适的数 ·

（　）×9＝9　　　（　）×9＝36　　　（　）×5＝45　　　（　）×9＝63
（　）×7＝21　　（　）×8＝40　　　（　）×9＝54　　　（　）×8＝72
（　）×4＝36　　（　）×4＝28　　　（　）×3＝27　　　（　）×9＝72
（　）×8＝32　　（　）×8＝8　　　（　）×9＝45　　　（　）×7＝14
（　）×8＝16　　（　）×8＝64　　　（　）×8＝48　　　（　）×7＝42
（　）×6＝42　　（　）×7＝7　　　（　）×3＝24　　　（　）×3＝21
（　）×2＝14　　（　）×7＝56　　　（　）×2＝18　　　（　）×9＝81
（　）×6＝54　　（　）×8＝24　　　（　）×1＝9　　　（　）×2＝16
（　）×7＝49　　（　）×7＝35　　　（　）×5＝40　　　（　）×1＝8

· 算一算 ·

$4×9+23＝$　　　$2×7-10＝$　　　$5×7+14＝$　　　$7×7-35＝$
$3×8-17＝$　　　$1×7+35＝$　　　$5×9-29＝$　　　$9×3-21＝$
$3×7+23＝$　　　$6×7-19＝$　　　$8×2+13＝$　　　$9×4-20＝$
$2×8-15＝$　　　$7×5+14＝$　　　$8×5+27＝$　　　$5×8+14＝$
$9×3+25＝$　　　$5×9-32＝$　　　$8×8+19＝$　　　$6×9-28＝$
$8×7+25＝$　　　$7×1+18＝$　　　$7×2+38＝$　　　$9×8-44＝$
$9×2-12＝$　　　$3×9+28＝$　　　$7×4-9＝$　　　$2×8+35＝$
$7×9-25＝$　　　$7×8+19＝$　　　$7×6-38＝$　　　$5×9-27＝$

· 比大小 ·

$2×7$ ◯ 17　　　$5×7$ ◯ 38　　　$3×8$ ◯ 16　　　$2×9$ ◯ 30
$7×5$ ◯ 45　　　$2×7$ ◯ 18　　　$3×8$ ◯ 32　　　$6×9$ ◯ 45
$4×7$ ◯ 25　　　$7×9$ ◯ 65　　　$9×6$ ◯ 72　　　$4×9$ ◯ 34
$5×9$ ◯ 55　　　$7×7$ ◯ 48　　　$2×9$ ◯ 17　　　$8×9$ ◯ 62
$7×2$ ◯ 15　　　$1×8$ ◯ 20　　　$7×8$ ◯ 60　　　$4×9$ ◯ 40
$4×8$ ◯ 32　　　$9×1$ ◯ 15　　　$3×7$ ◯ 20　　　$3×8$ ◯ 24
$8×4$ ◯ 35　　　$9×2$ ◯ 18　　　$9×5$ ◯ 48　　　$8×8$ ◯ 60
$8×8$ ◯ 64　　　$8×4$ ◯ 35　　　$9×8$ ◯ 37　　　$9×9$ ◯ 75

24

· 把口诀补充完整 ·

三三得（　　）	二七（　　）	一五得（　　）	四八（　　）
三六（　　）	二八（　　）	四五（　　）	五八（　　）
一九得（　　）	四四（　　）	三八（　　）	五六（　　）
一二得（　　）	六八（　　）	五五（　　）	八八（　　）
一七得（　　）	三四（　　）	二九（　　）	二五（　　）
一四得（　　）	六九（　　）	四六（　　）	八九（　　）
二二得（　　）	七九（　　）	二三得（　　）	七七（　　）
三九（　　）	一一得（　　）	五七（　　）	一三得（　　）
三五（　　）	五九（　　）	二六（　　）	七八（　　）

· 算一算 ·

1×2 =	3×6 =	8×3 =	7×1 =
2×3 =	5×5 =	2×9 =	6×8 =
3×3 =	1×4 =	8×7 =	7×9 =
4×2 =	6×4 =	7×5 =	2×8 =
2×2 =	5×4 =	1×8 =	6×7 =
6×2 =	4×1 =	9×5 =	9×8 =
2×1 =	3×5 =	6×9 =	8×8 =
8×5 =	4×9 =	8×9 =	7×4 =

· 在括号里填入合适的数 ·

（　　）×5 = 15	（　　）×1 = 1	（　　）×9 = 27	（　　）×8 = 72
（　　）×2 = 10	（　　）×3 = 12	（　　）×7 = 35	（　　）×5 = 40
（　　）×1 = 4	（　　）×1 = 3	（　　）×8 = 16	（　　）×8 = 56
（　　）×3 = 18	（　　）×5 = 20	（　　）×7 = 7	（　　）×6 = 54
（　　）×6 = 12	（　　）×5 = 5	（　　）×2 = 18	（　　）×8 = 64
（　　）×2 = 6	（　　）×2 = 12	（　　）×8 = 40	（　　）×5 = 45
（　　）×4 = 4	（　　）×6 = 6	（　　）×8 = 24	（　　）×9 = 63
（　　）×6 = 30	（　　）×3 = 6	（　　）×4 = 28	（　　）×9 = 72

时间：＿＿＿＿＿

点评：对＿＿＿题 ☺

　　　错＿＿＿题 ☹

正确率：＿＿＿%

错题再做：

扫码查答案

25

1~9的乘法口诀（2）

·把口诀补充完整·

二三得（　　）　　三（　　）十五　　一八得（　　）　　五九（　　）
七八（　　）　　四九（　　）　　（　　）四十六　　一（　　）得五
一一得（　　）　　四（　　）十六　　（　　）七十四　　（　　）八五十六
三九（　　）　　四七（　　）　　四四（　　）　　三（　　）十二
（　　）四十二　　一六得（　　）　　二（　　）十八　　六（　　）四十八
二二得（　　）　　（　　）五十五　　七（　　）六十三　　七（　　）四十九
二（　　）得六　　（　　）五二十　　五八（　　）　　八九（　　）
一（　　）得二　　（　　）六二十四　　二（　　）十四　　三（　　）二十七
（　　）五得五　　六（　　）三十六　　（　　）八四十　　（　　）八三十二

·算一算·

1×1=	2×1=	8×1=	7×3=
4×2=	6×4=	2×7=	8×3=
2×2=	5×4=	8×7=	8×9=
3×3=	1×4=	6×9=	9×7=
6×5=	3×2=	8×2=	9×9=
3×5=	1×6=	8×5=	7×2=
6×2=	4×1=	5×8=	8×8=
5×1=	4×6=	7×7=	9×3=

·比大小·

2×4○10	3×3○9	3×7○15	2×8○18
3×5○20	2×6○15	8×3○18	5×7○45
3×2○4	3×5○14	8×7○72	7×4○25
5×7○30	6×4○34	4×9○35	8×5○50
3×4○12	8×4○35	3×8○28	9×6○52
2×7○13	5×7○35	4×9○30	7×6○40
6×4○26	8×5○40	6×7○45	9×7○58
2×8○19	4×5○30	4×4○18	8×7○55

时间：＿＿＿＿＿＿
点评：对＿＿＿题
　　　错＿＿＿题
正确率：＿＿＿%

错题再做：

扫码查答案

· 把口诀补充完整 ·

二二得（　　）　　一三得（　　）　　（　　）八二十四　　九（　　）八十一
七七（　　）　　四八（　　）　　三（　　）十八　　四（　　）二十四
三四（　　）　　四四（　　）　　四（　　）二十八　　三（　　）二十四
三（　　）得九　　一（　　）得四　　（　　）七二十八　　（　　）八得八
四六（　　）　　五六（　　）　　六（　　）四十二　　（　　）九四十五
一（　　）得八　　五（　　）四十　　（　　）五二十　　（　　）五二十五
一九得（　　）　　一（　　）得五　　二七（　　）　　四（　　）十六
一（　　）得九　　二（　　）得六　　四（　　）二十　　五（　　）三十五
（　　）二得四　　（　　）三得三　　（　　）八四十八　　四（　　）三十六

· 在括号里填入合适的数 ·

（　　）×1 = 1　　（　　）×2 = 4　　（　　）×9 = 27　　（　　）×6 = 54
（　　）×3 = 18　　（　　）×2 = 8　　（　　）×5 = 45　　（　　）×7 = 63
（　　）×4 = 4　　（　　）×6 = 18　　（　　）×8 = 72　　（　　）×6 = 48
（　　）×1 = 7　　（　　）×7 = 49　　（　　）×4 = 20　　（　　）×5 = 5
（　　）×1 = 3　　（　　）×1 = 6　　（　　）×1 = 8　　（　　）×9 = 54
（　　）×7 = 7　　（　　）×5 = 30　　（　　）×6 = 24　　（　　）×4 = 36
（　　）×5 = 15　　（　　）×3 = 3　　（　　）×2 = 14　　（　　）×6 = 42
（　　）×8 = 8　　（　　）×1 = 5　　（　　）×6 = 36　　（　　）×7 = 35

· 算一算 ·

$5×2-4 =$　　　$8×1-3 =$　　　$7×2-7 =$　　　$9×8-20 =$
$3×7-17 =$　　　$7×4-15 =$　　　$6×3+15 =$　　　$3×4+27 =$
$8×3-24 =$　　　$4×5+44 =$　　　$8×8-22 =$　　　$2×8-10 =$
$4×9-27 =$　　　$4×8-14 =$　　　$5×6-5 =$　　　$6×8-20 =$
$6×1+33 =$　　　$4×3+17 =$　　　$7×9-20 =$　　　$9×5-16 =$
$8×2-5 =$　　　$7×3-12 =$　　　$8×8-10 =$　　　$7×6-22 =$
$2×2+19 =$　　　$6×3+35 =$　　　$7×7-30 =$　　　$6×6-31 =$
$8×4-20 =$　　　$5×6-22 =$　　　$7×5-15 =$　　　$8×9-41 =$

时间：_____

点评：对____题 ☺

　　　　错____题 ☹

正确率：____%

错题再做：

扫码查答案

1~9的乘法口诀（4）

· 算一算 ·

8×1 =	2×9 =	5×5 =	3×4 =
2×1 =	3×5 =	2×7 =	8×4 =
9×1 =	4×7 =	4×3 =	2×5 =
5×6 =	6×6 =	5×7 =	9×2 =
4×2 =	5×3 =	8×5 =	9×9 =
2×3 =	3×3 =	8×6 =	9×7 =
4×1 =	7×3 =	5×8 =	4×5 =
8×2 =	2×4 =	4×6 =	7×4 =
5×9 =	9×8 =	6×9 =	8×8 =

· 在括号里填入合适的数 ·

（　）×1 = 1	（　）×8 = 8	（　）×9 = 27	（　）×8 = 72
（　）×2 = 14	（　）×5 = 25	（　）×2 = 8	（　）×9 = 72
（　）×5 = 10	（　）×3 = 9	（　）×7 = 35	（　）×5 = 40
（　）×4 = 4	（　）×2 = 18	（　）×8 = 64	（　）×5 = 30
（　）×3 = 3	（　）×3 = 6	（　）×3 = 21	（　）×9 = 36
（　）×5 = 45	（　）×4 = 28	（　）×4 = 12	（　）×4 = 16
（　）×1 = 5	（　）×6 = 18	（　）×4 = 24	（　）×6 = 48
（　）×8 = 40	（　）×9 = 81	（　）×7 = 56	（　）×9 = 63

· 算一算 ·

1×5+18 =	5×8−27 =	9×3+12 =	7×4−18 =
2×9+21 =	4×5+70 =	6×7−40 =	4×4+35 =
2×3−5 =	7×4−13 =	4×9−14 =	8×2+25 =
3×7+31 =	6×8+21 =	5×2−4 =	6×6+33 =
9×4−25 =	5×6+38 =	8×3+19 =	7×5−14 =
5×3−12 =	8×6−14 =	6×4+35 =	3×9+22 =
6×5−17 =	2×9+25 =	5×2+23 =	7×4−26 =
3×4+26 =	8×4−15 =	6×9−34 =	8×9−25 =

时间：_____ 🐯

点评：对_____题 ☺

　　　错_____题 ☹

正确率：_____% ✌

错题再做：

扫码查答案

28

· 算一算 ·

7×1 =	2×5 =	8×5 =	6×6 =
1×4 =	7×3 =	3×9 =	9×6 =
2×2 =	3×8 =	6×5 =	9×8 =
5×1 =	9×2 =	2×1 =	8×4 =
4×4 =	7×8 =	5×5 =	2×6 =
2×9 =	2×3 =	3×5 =	9×7 =
1×2 =	8×3 =	4×6 =	6×7 =
6×3 =	5×4 =	4×9 =	7×5 =
2×7 =	9×5 =	6×8 =	8×7 =

· 在括号里填入合适的数 ·

（　）×4 = 4	（　）×1 = 7	（　）×4 = 20	（　）×4 = 36
（　）×2 = 4	（　）×6 = 42	（　）×9 = 54	（　）×2 = 16
（　）×7 = 14	（　）×4 = 8	（　）×3 = 27	（　）×5 = 15
（　）×3 = 6	（　）×8 = 32	（　）×7 = 63	（　）×5 = 25
（　）×1 = 8	（　）×2 = 14	（　）×5 = 30	（　）×2 = 8
（　）×6 = 48	（　）×4 = 12	（　）×9 = 18	（　）×4 = 16
（　）×7 = 21	（　）×5 = 35	（　）×8 = 72	（　）×3 = 15
（　）×5 = 20	（　）×6 = 30	（　）×7 = 56	（　）×9 = 36

· 比大小 ·

7×2 ○ 15	4×3 ○ 12	6×5 ○ 36	3×4 ○ 10
3×2 ○ 23	1×8 ○ 3	9×6 ○ 52	4×4 ○ 25
8×4 ○ 34	7×7 ○ 52	4×7 ○ 38	9×2 ○ 15
2×6 ○ 15	8×5 ○ 42	3×8 ○ 22	5×7 ○ 35
7×3 ○ 25	2×6 ○ 6	6×7 ○ 45	3×9 ○ 29
4×5 ○ 24	8×7 ○ 54	8×2 ○ 18	9×6 ○ 50
8×1 ○ 8	3×7 ○ 24	8×4 ○ 25	2×9 ○ 18
5×3 ○ 17	2×8 ○ 15	8×8 ○ 66	6×7 ○ 42

时间：_____ 🐻

点评：对_____题 ☺

　　　错_____题 ☹

正确率：_____% 🐰

错题再做：

扫码查答案

1~9的乘法口诀（6）

·把口诀补充完整·

一七得（　　） 六八（　　） 二六（　　） 三九（　　）

三六（　　） 一九得（　　） 八八（　　） 四六（　　）

七九（　　） 二七（　　） 五六（　　） 三八（　　）

六七（　　） 五八（　　） 四九（　　） 九九（　　）

三（　　）十五 四（　　）二十 六（　　）四十八 （　　）七十四

（　　）五二十五 （　　）六得六 二（　　）十六 （　　）八二十四

六六（　　） 二（　　）得六 六（　　）五十四 （　　）八十六

三（　　）得九 五（　　）三十 四（　　）二十八 （　　）九四十五

五（　　）二十五 （　　）六三十 （　　）九二十七 八（　　）七十二

·算一算·

1×4=	2×1=	2×5=	3×4=
1×1=	5×2=	8×6=	4×8=
7×3=	1×8=	5×6=	4×5=
4×1=	9×3=	6×2=	9×2=
1×7=	4×3=	3×1=	7×8=
5×1=	3×3=	5×9=	7×4=
2×2=	1×5=	5×8=	9×4=
2×7=	9×1=	5×3=	3×6=

·在括号里填入合适的数·

（　　）×5=5	（　　）×1=1	（　　）×6=42	（　　）×8=64
（　　）×1=2	（　　）×4=16	（　　）×4=28	（　　）×3=24
（　　）×5=40	（　　）×9=9	（　　）×5=15	（　　）×2=10
（　　）×2=2	（　　）×3=12	（　　）×9=63	（　　）×4=32
（　　）×6=12	（　　）×2=6	（　　）×2=18	（　　）×4=36
（　　）×5=30	（　　）×2=12	（　　）×7=49	（　　）×8=72
（　　）×9=27	（　　）×7=63	（　　）×5=25	（　　）×6=18
（　　）×4=20	（　　）×4=8	（　　）×7=28	（　　）×9=36

时间：_____

点评：对_____题 ☺

　　　 错_____题 ☹

正确率：_____%

错题再做：

扫码查答案

30

1~9的乘法口诀（7）

· 算一算 ·

$3×1=$	$8×7=$	$7×6=$	$4×4=$
$2×7=$	$8×4=$	$2×6=$	$5×2=$
$5×1=$	$9×7=$	$7×4=$	$6×3=$
$1×1=$	$8×1=$	$2×9=$	$3×2=$
$3×7=$	$1×9=$	$5×5=$	$6×5=$
$2×2=$	$9×1=$	$4×7=$	$3×5=$
$8×2=$	$8×6=$	$3×4=$	$9×8=$
$1×3=$	$6×2=$	$7×3=$	$5×8=$
$4×3=$	$2×5=$	$3×8=$	$6×7=$

· 在括号里填入合适的数 ·

$(\quad)×3=18$	$(\quad)×5=5$	$(\quad)×9=27$	$(\quad)×8=72$
$(\quad)×2=14$	$(\quad)×6=24$	$(\quad)×4=20$	$(\quad)×9=63$
$(\quad)×7=7$	$(\quad)×1=6$	$(\quad)×5=10$	$(\quad)×8=16$
$(\quad)×8=40$	$(\quad)×3=9$	$(\quad)×4=4$	$(\quad)×7=49$
$(\quad)×3=6$	$(\quad)×4=12$	$(\quad)×8=56$	$(\quad)×6=54$
$(\quad)×3=3$	$(\quad)×4=28$	$(\quad)×8=24$	$(\quad)×4=16$
$(\quad)×2=10$	$(\quad)×9=36$	$(\quad)×7=56$	$(\quad)×6=12$
$(\quad)×8=48$	$(\quad)×3=27$	$(\quad)×9=45$	$(\quad)×7=28$

· 算一算 ·

$6×5-24=$	$2×3+28=$	$7×7-37=$	$4×4-15=$
$7×3-12=$	$3×4+26=$	$1×9+35=$	$9×6-32=$
$9×2+15=$	$7×7-13=$	$6×6-22=$	$4×6+33=$
$8×3-12=$	$7×6-32=$	$5×7+15=$	$8×5+25=$
$6×3-11=$	$8×4+9=$	$2×7-13=$	$4×6-15=$
$7×9-41=$	$6×9+30=$	$3×4+52=$	$9×4-25=$
$8×4-10=$	$6×6-14=$	$9×3+18=$	$7×7+12=$
$5×6-8=$	$5×5-6=$	$2×9+22=$	$7×8-14=$

时间：_____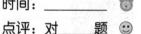

点评：对_____题 ☺

错_____题 ☹

正确率：_____%

错题再做：

扫码查答案

31

1~9的乘法口诀（8）

· 算一算 ·

1×3 =	7×3 =	3×8 =	2×5 =
5×6 =	3×2 =	6×1 =	6×6 =
4×7 =	7×8 =	2×9 =	9×8 =
1×4 =	2×2 =	3×9 =	9×6 =
3×6 =	4×5 =	8×9 =	9×2 =
4×3 =	1×5 =	9×5 =	3×7 =
7×5 =	8×1 =	9×3 =	8×7 =
6×2 =	4×2 =	4×9 =	7×5 =
9×7 =	6×3 =	5×4 =	8×4 =

· 在括号里填入合适的数 ·

（　　）×3 = 12	（　　）×5 = 35	（　　）×1 = 7	（　　）×5 = 15
（　　）×5 = 10	（　　）×3 = 3	（　　）×6 = 42	（　　）×9 = 54
（　　）×4 = 4	（　　）×4 = 20	（　　）×6 = 18	（　　）×5 = 25
（　　）×4 = 12	（　　）×1 = 6	（　　）×8 = 32	（　　）×7 = 63
（　　）×1 = 2	（　　）×8 = 72	（　　）×8 = 64	（　　）×2 = 4
（　　）×3 = 27	（　　）×2 = 14	（　　）×5 = 30	（　　）×7 = 14
（　　）×6 = 6	（　　）×7 = 21	（　　）×8 = 40	（　　）×9 = 45
（　　）×2 = 10	（　　）×9 = 63	（　　）×8 = 24	（　　）×6 = 30

· 比大小 ·

5×8 ○ 44	3×7 ○ 31	5×7 ○ 25	2×5 ○ 9
1×1 ○ 0	4×6 ○ 24	5×6 ○ 34	9×2 ○ 18
2×6 ○ 15	5×5 ○ 19	6×3 ○ 22	7×5 ○ 36
9×5 ○ 44	6×7 ○ 52	8×4 ○ 30	5×5 ○ 26
7×8 ○ 55	3×2 ○ 9	8×8 ○ 64	3×3 ○ 12
9×1 ○ 12	5×8 ○ 32	2×4 ○ 10	6×6 ○ 35
4×4 ○ 12	9×5 ○ 48	4×9 ○ 35	7×7 ○ 60
1×3 ○ 10	9×4 ○ 34	5×7 ○ 39	6×8 ○ 48

时间：_____ 🐻

点评：对_____题 ☺

　　　错_____题 ☹

正确率：_____% 🐰

错题再做：

扫码查答案

32

·把口诀补充完整·

一二得（　　） （　　）五得五 二（　　）十八 六（　　）四十八

一八得（　　） 五九（　　） 四（　　）十六 六（　　）三十六

七八（　　） 二二得（　　） （　　）五十五 四九（　　）

二（　　）得六 五五（　　） 七（　　）六十三 七（　　）四十九

五八（　　） 三九（　　） 三（　　）十八 （　　）四十六

（　　）二得二 六六（　　） 三（　　）二十四 二（　　）十四

二三得（　　） （　　）五二十 （　　）八四十 （　　）七十四

五七（　　） 六九（　　） 四四（　　） （　　）四十二

四七（　　） 八九（　　） 三（　　）二十七 八（　　）七十二

·算一算·

3×5 =	5×1 =	9×9 =	8×2 =
2×1 =	8×1 =	7×2 =	6×2 =
1×4 =	5×4 =	4×6 =	6×9 =
4×5 =	3×7 =	8×6 =	5×3 =
1×8 =	6×1 =	2×7 =	8×9 =
5×5 =	1×2 =	4×9 =	7×1 =
2×3 =	6×7 =	9×8 =	3×6 =
9×3 =	4×7 =	6×3 =	6×6 =

·比大小·

3×5 ◯ 14	1×6 ◯ 10	7×6 ◯ 38	9×5 ◯ 60
4×2 ◯ 10	7×4 ◯ 30	2×8 ◯ 24	8×4 ◯ 32
7×5 ◯ 34	5×5 ◯ 35	6×3 ◯ 19	4×4 ◯ 17
6×9 ◯ 54	2×2 ◯ 3	2×9 ◯ 20	3×7 ◯ 20
4×6 ◯ 28	4×3 ◯ 20	7×7 ◯ 50	9×4 ◯ 34
3×8 ◯ 22	8×5 ◯ 40	9×2 ◯ 17	3×5 ◯ 14
5×6 ◯ 27	3×3 ◯ 10	4×2 ◯ 8	6×3 ◯ 25
7×9 ◯ 64	9×2 ◯ 17	8×4 ◯ 35	8×9 ◯ 75

时间：＿＿＿＿＿＿＿

点评：对＿＿＿＿题 ☺

　　　　错＿＿＿＿题 ☹

正确率：＿＿＿＿％

错题再做：

扫码查答案

综合练习（2）

· 算一算 ·

1×1 =	3×2 =	4×2 =	5×3 =
5×1 =	6×3 =	9×3 =	6×8 =
1×6 =	1×4 =	5×9 =	7×3 =
7×2 =	6×7 =	3×6 =	6×4 =
6×5 =	5×5 =	2×9 =	9×9 =
6×1 =	9×1 =	4×7 =	1×5 =
2×1 =	8×2 =	9×8 =	2×2 =
3×5 =	3×4 =	7×7 =	5×7 =
6×2 =	8×7 =	7×6 =	5×4 =

· 在括号里填入合适的数 ·

（　）×2 = 10	（　）×2 = 18	（　）×2 = 14	（　）×7 = 21
（　）×9 = 45	（　）×7 = 49	（　）×6 = 30	（　）×4 = 12
（　）×8 = 8	（　）×3 = 9	（　）×4 = 4	（　）×7 = 35
（　）×5 = 30	（　）×3 = 27	（　）×7 = 7	（　）×2 = 8
（　）×1 = 1	（　）×3 = 15	（　）×8 = 40	（　）×5 = 45
（　）×5 = 5	（　）×2 = 6	（　）×3 = 12	（　）×4 = 16
（　）×1 = 4	（　）×4 = 20	（　）×9 = 27	（　）×8 = 72
（　）×6 = 18	（　）×9 = 36	（　）×7 = 56	（　）×4 = 24

· 算一算 ·

4×7-13 =	2×1+18 =	5×6-17 =	8×4-30 =
9×6-11 =	7×3-19 =	8×4+54 =	6×6-15 =
1×3+37 =	2×9-7 =	3×8-11 =	9×5-29 =
7×4-8 =	1×6+35 =	4×6-14 =	6×8-17 =
3×4+25 =	3×9-14 =	2×8+16 =	5×5-15 =
8×5-23 =	9×5-22 =	6×7-18 =	9×4-26 =
7×3-14 =	1×4+28 =	5×9-40 =	3×6+38 =
8×4-17 =	9×6-14 =	3×5+18 =	6×8+27 =

时间：_____ 🐱

点评：对____题 ☺

　　　错____题 ☹

正确率：____% ✌

错题再做：

扫码查答案

34

· 算一算 ·

2×2 =	6×2 =	3×8 =	9×2 =
4×2 =	3×3 =	3×7 =	7×7 =
1×6 =	4×5 =	7×1 =	8×5 =
3×6 =	1×4 =	2×9 =	9×8 =
6×5 =	9×1 =	8×8 =	5×5 =
2×5 =	1×7 =	8×4 =	2×4 =
1×5 =	7×5 =	8×9 =	2×6 =
4×3 =	4×9 =	2×8 =	1×3 =
3×1 =	9×6 =	4×8 =	6×6 =

· 在括号里填入合适的数 ·

（ ）×3 = 3	（ ）×3 = 9	（ ）×9 = 36	（ ）×6 = 48
（ ）×4 = 4	（ ）×2 = 14	（ ）×8 = 16	（ ）×5 = 20
（ ）×3 = 18	（ ）×7 = 21	（ ）×4 = 36	（ ）×6 = 30
（ ）×1 = 2	（ ）×3 = 6	（ ）×9 = 9	（ ）×8 = 40
（ ）×4 = 8	（ ）×5 = 15	（ ）×7 = 63	（ ）×9 = 18
（ ）×2 = 6	（ ）×3 = 15	（ ）×4 = 28	（ ）×7 = 56
（ ）×5 = 25	（ ）×4 = 24	（ ）×8 = 24	（ ）×9 = 54
（ ）×5 = 5	（ ）×2 = 8	（ ）×6 = 42	（ ）×9 = 72

· 比大小 ·

2×2 ○ 6	3×7 ○ 19	8×7 ○ 52	4×3 ○ 15
2×7 ○ 14	5×8 ○ 42	9×3 ○ 25	7×5 ○ 39
4×4 ○ 17	8×6 ○ 52	3×7 ○ 20	8×3 ○ 25
7×5 ○ 34	5×9 ○ 51	6×7 ○ 45	4×4 ○ 17
3×4 ○ 12	3×3 ○ 18	9×2 ○ 15	8×3 ○ 28
8×1 ○ 10	5×6 ○ 28	7×3 ○ 27	3×5 ○ 17
7×4 ○ 28	9×5 ○ 47	6×6 ○ 35	4×6 ○ 25
4×4 ○ 16	7×4 ○ 25	9×3 ○ 28	9×8 ○ 75

时间：_____ 🐻

点评：对____题 ☺

　　　错____题 ☹

正确率：____% ✌

错题再做：

扫码查答案

综合练习（4）

·把口诀补充完整·

（　　）一得一　　三（　　）二十七　　八（　　）七十二　　三（　　）十八

（　　）五二十　　一（　　）得二　　三（　　）十五　　（　　）四十六

（　　）七十四　　（　　）八五十六　　（　　）九十八　　（　　）七四十九

四（　　）十六　　（　　）五得五　　三（　　）十二　　（　　）四十二

七（　　）六十三　　七（　　）四十九　　（　　）七三十五　　（　　）九三十六

·算一算·

$1×1=$	$5×2=$	$6×2=$	$9×2=$
$7×3=$	$1×8=$	$5×9=$	$7×4=$
$4×1=$	$5×3=$	$3×6=$	$9×3=$
$8×6=$	$4×8=$	$3×1=$	$7×8=$
$5×6=$	$4×5=$	$5×8=$	$9×4=$

·在括号里填入合适的数·

（　）×3=18	（　）×1=7	（　）×7=49	（　）×2=8
（　）×5=45	（　）×1=3	（　）×1=6	（　）×7=63
（　）×1=8	（　）×9=54	（　）×4=4	（　）×6=18
（　）×4=20	（　）×5=5	（　）×8=72	（　）×6=48
（　）×5=30	（　）×6=24	（　）×2=14	（　）×6=42

·算一算·

$3×5-2=$	$6×5+23=$	$7×2+13=$	$5×4-12=$
$2×4+61=$	$9×4-13=$	$7×7+35=$	$6×8+19=$
$7×3+23=$	$6×6-27=$	$6×3-9=$	$7×4-15=$
$2×4+17=$	$9×9-51=$	$8×5-10=$	$9×6-34=$
$8×3-12=$	$9×2+12=$	$5×9-18=$	$7×3-10=$

·比大小·

$7×2○14$	$6×8○61$	$2×8○15$	$4×9○35$
$3×6○20$	$4×5○20$	$7×3○28$	$9×5○44$
$6×5○26$	$8×6○52$	$6×9○54$	$7×8○57$
$3×4○10$	$2×5○20$	$8×3○24$	$8×9○74$
$7×4○27$	$7×7○51$	$9×9○90$	$6×7○32$

时间：_____ 🐻

点评：对_____题 ☺

　　　错_____题 ☹

正确率：_____%

错题再做：

扫码查答案

36

· 把口诀补充完整 ·

一（　　）得四　　二（　　）一十　　三（　　）二十一　　（　　）二得二

一（　　）得六　　（　　）四得八　　（　　）七四十二　　七（　　）五十六

（　　）五得五　　（　　）七得七　　二（　　）十二　　三（　　）二十四

（　　）八五十六　　五（　　）三十五　　（　　）七三十五　　（　　）五二十

一（　　）得九　　（　　）四得四　　（　　）四十二　　（　　）九五十四

· 算一算 ·

$7×1=$	$2×2=$	$8×4=$	$7×9=$
$1×1=$	$2×4=$	$5×4=$	$8×7=$
$3×5=$	$1×6=$	$6×8=$	$6×4=$
$2×5=$	$6×5=$	$3×9=$	$7×2=$
$8×3=$	$2×8=$	$4×1=$	$2×9=$

· 在括号里填入合适的数 ·

（　）$×2=4$	（　）$×3=27$	（　）$×5=15$	（　）$×6=42$
（　）$×1=8$	（　）$×2=14$	（　）$×9=54$	（　）$×2=16$
（　）$×7=14$	（　）$×9=18$	（　）$×4=16$	（　）$×4=8$
（　）$×3=6$	（　）$×6=48$	（　）$×4=12$	（　）$×7=21$
（　）$×8=32$	（　）$×6=30$	（　）$×7=56$	（　）$×5=25$

· 算一算 ·

$8×3-16=$	$2×7+13=$	$4×1+22=$	$5×7-15=$
$4×4+24=$	$6×5-15=$	$8×5-5=$	$3×4+34=$
$7×6+18=$	$9×4-25=$	$7×7+26=$	$6×2+31=$
$8×7-21=$	$3×8+16=$	$4×2+15=$	$8×4-17=$
$9×6+28=$	$4×3+57=$	$9×1+48=$	$9×9-34=$

· 比大小 ·

$8×2〇18$	$6×4〇25$	$7×3〇24$	$6×5〇30$
$5×5〇24$	$8×7〇55$	$6×8〇49$	$3×4〇15$
$8×9〇72$	$5×2〇11$	$3×9〇28$	$8×4〇34$
$6×6〇38$	$7×3〇20$	$9×7〇63$	$5×7〇30$
$8×8〇62$	$6×5〇40$	$8×2〇17$	$3×8〇24$

时间：_____

点评：对_____题

　　　错_____题

正确率：_____%

错题再做：

扫码查答案

综合练习（6）

· 把口诀补充完整 ·

三九（　　　）　　　五八（　　　）　　　八九（　　　）　　　四四（　　　）
二（　　）得六　　　（　　）五二十　　　三（　　）十二　　　三（　　）二十七
一（　　）得二　　　（　　）六二十四　　　（　　）四十二　　　二（　　）十八
二（　　）十四　　　六（　　）四十八　　　（　　）五十五　　　七（　　）六十三
二二得（　　）　　　七（　　）四十九　　　六（　　）三十六　　　（　　）八四十

· 算一算 ·

1×1 =	1×6 =	8×5 =	7×3 =
1×4 =	6×9 =	4×2 =	6×4 =
2×2 =	5×4 =	2×7 =	8×3 =
3×2 =	6×5 =	8×7 =	9×3 =
4×1 =	5×8 =	8×9 =	8×8 =

· 在括号里填入合适的数 ·

（　　）×2 = 2	（　　）×8 = 16	（　　）×9 = 63	（　　）×8 = 24
（　　）×3 = 18	（　　）×5 = 30	（　　）×9 = 54	（　　）×9 = 36
（　　）×5 = 5	（　　）×6 = 18	（　　）×7 = 14	（　　）×6 = 24
（　　）×1 = 3	（　　）×4 = 4	（　　）×2 = 8	（　　）×8 = 48
（　　）×5 = 45	（　　）×8 = 64	（　　）×9 = 72	（　　）×7 = 35

· 算一算 ·

6×6-18 =	3×3+20 =	8×4-15 =	4×4+21 =
3×3+14 =	7×7-25 =	7×3+57 =	6×8-24 =
9×4-16 =	8×9-18 =	6×8+23 =	9×7-15 =
5×6-12 =	5×5+35 =	3×7-16 =	8×8+19 =
3×4+44 =	8×6-15 =	9×8-52 =	7×4+28 =

· 比大小 ·

8×3 ○ 20	2×6 ○ 13	9×2 ○ 18	7×7 ○ 45
9×2 ○ 14	6×5 ○ 32	7×7 ○ 50	8×1 ○ 10
3×7 ○ 21	5×7 ○ 34	5×9 ○ 45	3×5 ○ 16
8×4 ○ 30	9×4 ○ 36	8×8 ○ 68	7×6 ○ 38
2×5 ○ 13	4×7 ○ 25	9×9 ○ 81	8×3 ○ 20

时间：_____ 🐯

点评：对_____题 ☺

　　　错_____题 ☹

正确率：_____% 🐰

错题再做：

扫码查答案

38

1~6的乘法口诀（1）

一	二	四	三
六	九	四	八
十二	十六	五	一十
十五	二十	二十五	六
十二	十八	二十四	三十
三十六	三	三	六
五	五	五	一
六	四	五	五
4	15	18	2
15	3	1	10
12	4	30	20
2	5	9	6
6	24	25	12
10	4	5	12
6	12	3	24
8	16	36	30
1	1	2	4
3	5	1	4
6	4	3	4
2	3	6	6
1	1	5	2
5	3	5	2
2	5	3	6
1	6	3	5
4	6	2	4

1~6的乘法口诀（2）

二十	十八	五	三十
九	四	二	六
一	四	二	四
一	一	四	一
四	三	二	五
六	一	三	三
二	一	六	二
二	五	三	三
四	六	二	六
4	12	5	2
15	6	12	24
1	5	30	9
4	4	12	12
2	36	18	10
25	3	24	6
8	10	30	16
6	8	20	18
4	11	15	15
10	33	9	22
17	25	15	28
19	25	30	33
32	32	36	61
34	25	16	9
20	28	23	28
39	31	34	47

1~6的乘法口诀（3）

四	三	一	三十六
十二	一	六	五
六	五	四	五
十六	四	三	六
三	四	二	四
一	四	一	六
五	四	三	三
二	六	二	六
二十五	十五	五	二十四
3	15	20	6
6	25	2	18
8	24	4	20
9	4	30	6
1	2	15	6
12	4	5	24
12	10	30	8
12	5	18	36
>	>	>	<
=	<	<	>
>	<	=	=
>	=	>	<
>	<	=	<
>	>	=	<
=	<	>	<

1~6的乘法口诀（4）

九	四	六	二十五
十二	十六	四	三
二十四	三十	三	四
四	五	二	一
六	六	四	五
三	四	二	三
六	四	六	一
一	二	四	五
三	五	四	六
3	4	5	6
3	6	6	4
3	1	1	2
5	4	5	4
1	3	5	6
2	1	4	2
5	3	5	6
1	3	2	5
9	14	8	18
13	23	4	7
27	32	11	15
52	42	2	6
1	0	17	22
19	24	13	10
45	35	8	20
11	41	4	14

1~6的乘法口诀（5）

3	16	12	10
5	18	1	6
25	6	30	12
2	4	15	5
12	10	30	36
8	15	6	9
2	3	12	20
4	6	18	24
4	20	8	24
4	4	5	2
3	6	1	3
1	5	6	2
3	1	6	4
1	2	3	4
3	6	4	5
2	5	2	2
5	4	1	2
1	2	12	4
1	0	2	11
4	3	9	3
19	22	6	10
5	7	9	3
2	3	10	24
2	2	7	10
6	1	20	2

1~6的乘法口诀（6）

3	10	6	36
1	12	4	3
9	4	4	30
6	18	20	8
5	15	2	16
12	8	24	10
25	12	2	12
6	15	2	24
18	20	30	6
2	1	5	2
2	4	3	2
6	1	2	4
5	3	6	4
5	2	1	5
4	3	2	5
3	3	5	6
3	1	6	6
=	>	<	>
>	>	>	=
<	<	<	<
<	>	>	<
>	>	<	<
<	<	>	<
<	>	<	<
>	<	=	>

1~6的乘法口诀（7）

1	1	3	2
1	5	3	4
1	6	1	2
3	4	1	4
5	5	3	2
3	4	5	4
6	2	2	6
3	5	2	6
4	6	6	5
19	25	7	1
36	7	2	2
23	31	7	4
18	43	65	11
17	33	5	3
18	17	46	25
47	3	15	1
42	2	6	61
<	>	<	=
>	=	<	>
>	>	>	=
<	=	>	>
<	<	<	>
>	>	<	=
>	>	>	>
>	<	<	>

1~6的乘法口诀（8）

四	二十	六	二
二	三	三	六
六	四	一	五
十八	五	四	五
九	四	二	六
二十五	三	六	六
二	六	六	六
十二	二	二	三
十五	五	四	二
5	24	4	2
15	4	3	6
12	12	1	20
9	16	5	10
25	6	15	24
10	18	4	12
6	3	30	12
2	8	36	30
5	1	2	4
3	1	5	4
6	4	3	4
2	1	3	6
1	1	1	2
3	6	2	2
2	5	1	6
6	3	3	4
4	6	2	5

参考答案

1~6的乘法口诀(9)

一	一	四	一
四	三	二	三
一	六	二	六
四	九	三	五
四	六	三	六
一	四	二	四
十八	一	六	二
二	二十	五	三十
二	五	三	三
15	6	12	24
1	5	30	9
3	2	18	10
6	8	24	6
36	25	20	18
4	12	30	16
4	12	5	2
4	8	10	12
10	17	18	33
18	32	14	19
26	22	20	29
30	45	16	43
24	26	54	29
29	34	39	47
23	23	39	18
54	37	25	47

1~6的乘法口诀(11)

四	五	四	一
一	二	九	五
三	六	六	六
二十四	三十	一	三
五	三	四	四
四	三	六	二十五
十二	十六	四	三
六	六	四	五
二	四	二	三
6	1	5	2
1	3	6	4
3	5	5	4
2	3	6	4
1	5	6	6
1	3	2	5
1	3	5	5
4	3	1	2
5	14	6	10
30	17	33	3
25	29	8	7
18	38	0	13
42	54	12	21
4	3	19	28
17	27	35	33
26	63	3	20

1~6的乘法口诀(13)

4	9	18	4
30	6	20	25
10	8	5	12
12	3	3	36
2	1	4	6
12	6	24	15
2	18	30	6
20	5	15	16
24	12	8	10
2	5	1	3
1	4	6	5
3	2	2	2
4	5	5	6
3	2	3	5
6	6	1	4
1	5	3	4
3	1	6	6
<	=	<	>
<	>	<	=
<	>	=	<
<	<	=	<
=	>	=	<
<	>	<	<
<	>	<	<

7~9的乘法口诀(1)

七	四十八	九	六十四
二十八	五十四	八	三十二
十八	三十五	四十五	四十九
五十六	十六	二十一	七十二
二十四	六十三	十四	二十七
四十二	四十	三十六	八十一
八	八	二	三
七	九	二	五
九	六	三	九
21	8	27	18
7	56	45	28
40	35	54	36
14	48	9	32
42	63	28	54
24	8	72	42
16	45	49	64
21	36	40	81
7	8	9	9
8	1	7	8
7	8	3	9
9	7	9	4
3	5	7	8
1	8	9	9
7	4	6	8
7	2	4	9

1~6的乘法口诀(10)

一	六	二	六
五	四	三	三
二	一	四	六
四	六	四	五
十二	五	一	三十六
一	三	二十五	四
六	四	三	五
二	十六	三	六
四	十五	五	二十四
1	4	15	6
5	2	12	24
20	3	15	6
25	2	6	18
30	8	30	8
12	5	18	36
12	10	4	20
24	4	9	6
=	>	<	>
<	<	<	=
<	<	<	<
>	<	<	>
>	<	<	>
=	<	<	<

1~6的乘法口诀(12)

12	3	16	10
5	18	1	6
6	4	18	24
30	25	6	5
2	4	15	12
12	2	3	20
4	20	24	8
10	30	12	36
8	15	6	9
2	2	5	5
3	1	6	4
4	2	3	4
3	6	1	5
5	1	5	2
6	4	1	2
6	4	5	2
4	3	1	3
1	0	18	5
19	9	9	4
8	0	1	11
4	1	4	13
11	5	6	5
2	10	4	6
5	2	6	17
4	4	7	66

1~6的乘法口诀(14)

6	5	4	5
5	4	6	2
4	1	1	2
3	3	1	3
3	5	2	6
5	1	6	3
2	3	4	5
4	6	2	6
1	1	2	4
25	8	9	3
21	35	4	1
0	53	69	3
3	1	58	41
45	1	3	81
27	4	22	35
17	38	5	4
67	43	3	70
<	<	>	>
>	>	=	>
>	>	<	=
<	<	<	<
<	>	=	<
<	>	>	>
<	<	<	>

7~9的乘法口诀(2)

十六	七	二十七	三十二
十四	二十四	十八	七十二
四十	五十四	五十六	四十二
九	四十八	二十八	八十一
九	八	七	五
七	四	七	七
六	八	一	七
九	八	五	四
二	九	六	八
9	32	27	14
24	7	18	48
56	63	35	16
8	42	45	72
49	28	54	64
40	36	72	28
16	21	48	81
24	27	14	54
13	56	28	19
56	52	50	38
38	30	18	72
64	50	73	41
63	24	59	26
59	36	67	30
51	24	36	64
77	70	58	44

7~9 的乘法口诀（3）

四十八	三十五	五十四	二十一
十八	六十三	二十四	六十四
八	四十五	五十六	三十六
四十	二十七	二十八	七十二
九	八	九	七
八	七	九	九
五	七	七	四
二	六	五	四
八	二	三	八
7	35	36	54
42	24	45	72
8	21	40	14
16	54	63	81
14	24	56	72
35	8	40	64
28	49	27	16
48	9	21	63
=	=	>	>
<	<	<	<
>	<	<	<
>	=	>	>
=	=	=	>
=	>	<	<
>	<	>	>

7~9 的乘法口诀（5）

7	36	35	16
24	27	54	32
72	21	24	18
28	56	18	72
42	14	32	48
40	63	8	42
49	45	21	81
7	40	9	64
35	8	27	56
7	7	1	9
7	6	8	2
9	4	9	2
8	9	7	8
3	5	9	8
7	1	8	4
2	6	5	9
7	7	3	8
<	=	>	<
>	=	>	=
>	>	=	>
>	<	<	=
<	=	>	<
>	>	=	<
=	<	<	>

7~9 的乘法口诀（7）

八	四十五	九	八
五十六	三十六	九	七
四十	二十七	八	七
二十八	七十二	九	九
四十八	三十五	五	二
五十四	二十一	七	四
十八	六十三	二	七
二十四	六十四	五	四
三	八	八	六
9	21	48	63
63	81	16	54
56	14	72	24
35	36	7	54
24	42	72	45
40	8	14	21
40	8	35	64
27	28	16	49
>	<	=	<
<	<	>	=
<	<	>	=
<	>	>	>
<	<	<	<
<	>	>	<
<	<	>	>

7~9 的乘法口诀（9）

14	21	24	18
45	21	49	56
7	40	9	64
28	81	18	72
42	35	72	48
7	32	36	16
24	27	54	32
8	35	8	63
27	40	56	42
9	2	9	4
8	9	4	8
7	2	5	9
7	7	3	6
3	9	9	8
7	7	1	5
7	8	8	2
1	8	8	6
<	>	<	=
>	=	<	>
>	>	<	<
=	<	<	<
<	>	=	>
<	<	=	>

7~9 的乘法口诀（4）

7	24	42	36
8	56	27	48
21	40	45	72
16	48	63	28
40	8	18	81
14	32	35	18
54	9	28	64
49	45	63	14
21	9	56	42
1	2	7	9
1	3	9	8
5	8	9	8
7	5	9	8
7	3	7	6
7	4	8	9
3	5	7	4
8	6	9	8
26	47	12	66
22	26	22	53
24	40	36	4
70	17	4	61
84	35	37	40
58	31	77	85
39	10	57	68
67	58	34	20

7~9 的乘法口诀（6）

十八	十四	二十四	七十二
十六	四十	四十二	二十七
七	五十四	三十二	五十六
四十八	九	二十八	八十一
八	九	七	五
八	七	四	一
七	六	七	七
五	八	二	九
六	九	四	八
48	9	14	32
42	63	54	24
8	8	72	42
21	64	27	28
16	45	49	18
21	36	40	81
7	56	28	45
54	40	35	36
8	7	3	9
7	9	4	9
7	6	8	7
4	4	9	7
2	8	8	9
8	9	1	7
9	1	9	8

7~9 的乘法口诀（8）

40	45	21	48
56	8	27	48
16	72	63	28
40	8	18	81
7	14	42	9
64	49	35	32
18	21	56	42
45	9	28	36
14	54	63	24
5	9	5	8
8	9	7	3
8	5	9	4
8	6	9	1
8	3	9	9
1	2	7	7
8	4	8	9
20	27	30	27
14	59	88	43
17	79	24	36
36	17	32	42
53	16	21	60
15	19	20	14
42	10	34	6
58	39	77	37

7~9 的乘法口诀（10）

1	4	9	7
3	5	6	9
9	7	9	8
4	1	5	2
2	8	6	6
7	1	8	7
7	6	9	9
9	3	9	8
7	5	8	8
59	4	49	14
7	42	16	6
44	23	29	16
1	49	67	54
52	13	83	26
81	25	52	28
6	55	19	51
38	75	4	18
<	<	>	<
<	<	<	<
>	<	<	<
<	<	<	<
=	<	>	=
<	=	<	>
=	<	<	=

参考答案

1~9的乘法口诀（1）

九	十四	五	三十二
十八	十六	二十	四十
九	十六	二十四	三十
二	四十八	二十五	六十四
七	十二	十八	一十
四	五十四	二十四	七十二
四	六十三	六	四十九
二十七	一	三十五	三
十五	四十五	十二	五十六
2	18	24	7
6	25	18	48
9	4	56	63
8	24	35	16
4	20	8	42
12	4	45	72
2	15	54	64
40	36	72	28
3	1	3	9
5	4	5	8
4	3	2	7
6	4	1	9
2	1	9	8
3	6	5	9
1	1	3	7
5	2	7	8

1~9的乘法口诀（2）

六	五	八	四十五
五十六	三十六	四	五
一	四	二	七
二十七	二十八	十六	四
三	六	九	八
四	三	九	七
三	四	四十	七十二
二	四	七	九
一	六	五	四
1	2	8	21
8	24	14	24
4	20	56	72
9	4	54	63
30	6	16	81
15	6	40	14
12	4	40	64
5	24	49	27
<	=	>	<
<	<	>	<
>	>	<	>
>	<	<	>
=	<	<	<
>	=	>	>
<	=	>	>

1~9的乘法口诀（3）

四	三	三	九
四十九	三十二	六	六
十二	十六	七	七
三	四	四	一
二十四	三十	七	五
八	八	四	五
九	五	十四	四
九	三	五	七
二	一	六	九
1	2	3	9
6	4	9	9
1	3	9	8
7	5	5	1
3	6	8	6
1	6	4	9
3	1	7	7
1	5	6	5
6	5	7	52
4	13	33	39
0	64	42	6
9	18	25	28
39	29	43	29
11	9	54	20
23	53	19	5
12	8	20	31

1~9的乘法口诀（4）

8	18	25	12
2	15	14	32
9	28	12	10
30	36	35	18
8	15	40	81
6	9	48	63
4	21	40	20
16	8	24	28
45	72	54	64
1	1	3	9
7	5	4	8
2	3	5	8
1	9	8	6
1	2	7	4
9	7	3	4
5	3	6	8
5	9	8	7
23	13	39	10
39	90	2	51
1	15	22	41
52	69	6	69
11	68	43	21
3	34	59	49
13	43	33	2
38	17	20	47

1~9的乘法口诀（5）

7	10	40	36
4	21	27	54
4	24	30	72
5	18	2	32
16	56	25	12
18	6	15	63
2	24	24	42
18	20	36	35
14	45	48	56
1	7	5	9
2	7	6	8
2	2	9	3
2	4	9	5
8	7	6	4
8	3	2	4
3	7	9	5
4	5	8	4
<	=	<	>
<	>	>	<
<	<	>	<
<	<	>	=
<	>	<	<
<	>	>	>
=	<	>	=
<	>	<	=

1~9的乘法口诀（6）

七	四十八	十二	二十七
十八	九	六十四	二十四
六十三	十四	三十	二十四
四十二	四十	三十六	八十一
五	五	八	二
五	一	八	三
三十六	三	九	二
三	六	七	五
五	五	三	九
4	2	10	12
1	10	48	32
21	8	30	20
4	27	12	18
7	12	3	56
5	9	45	28
4	5	40	36
14	9	15	18
1	1	7	8
2	4	7	8
8	1	3	5
1	4	7	8
2	3	9	9
6	6	7	9
9	5	3	3
5	2	4	4

1~9的乘法口诀（7）

3	56	42	16
14	32	12	10
5	63	28	18
1	8	18	6
21	9	25	30
4	9	28	15
16	48	12	72
3	12	21	40
12	10	24	42
6	1	3	9
7	4	5	7
1	6	2	2
5	3	1	7
2	3	7	9
1	7	3	4
5	4	8	2
6	9	5	4
6	34	12	1
9	38	44	22
33	36	14	57
12	10	50	65
7	41	1	9
22	84	64	11
22	22	45	61
22	19	40	42

1~9的乘法口诀（8）

3	21	24	10
30	6	6	36
28	56	18	72
4	4	27	54
18	20	72	18
12	5	45	21
35	8	27	56
12	8	36	35
63	18	20	32
4	7	7	3
2	1	7	6
1	5	3	5
3	6	4	9
9	2	8	2
1	3	5	5
5	7	3	5
<	<	<	>
>	=	<	=
>	<	<	>
<	<	=	<
<	<	<	<
<	>	<	=

42

综合练习(1)

二	一	九	八
八	四十五	四	六
五十六	四	三	三十六
三	二十五	九	七
四十	二十七	六	四
一	三十六	八	七
六	四	五	二
三十五	五十四	十六	三
二十八	七十二	九	九
15	5	81	16
2	8	14	12
4	20	24	54
20	21	48	15
8	6	14	72
25	2	36	7
6	42	72	18
27	28	18	36
>	<	>	<
<	<	<	=
>	<	>	<
=	>	<	>
<	<	<	>
>	=	>	>
>	<	=	<
<	>	<	<

综合练习(2)

1	6	8	15
5	18	27	48
6	4	45	21
14	42	18	24
30	25	18	81
6	9	28	5
2	16	72	4
15	12	49	35
12	56	42	20
5	9	7	3
5	7	5	3
1	3	1	5
6	9	1	4
1	5	5	9
1	3	4	4
4	5	3	9
3	4	8	6
15	20	13	2
43	2	86	21
40	11	13	16
20	41	10	31
37	13	32	10
17	23	24	10
7	32	5	56
15	40	33	75

综合练习(3)

4	12	24	18
8	9	21	49
6	20	7	40
18	4	18	72
30	9	64	25
10	7	32	8
5	35	72	12
12	36	16	3
3	54	32	36
1	3	4	8
1	7	2	4
6	3	9	5
2	2	1	5
2	3	9	2
3	5	7	4
5	6	3	6
1	4	7	8
<	>	>	<
=	<	>	<
<	<	>	<
>	<	<	<
=	<	>	<
<	<	<	<
=	>	<	<
=	>	<	<

综合练习(4)

一	九	九	六
四	二	五	四
二	七	二	七
四	一	四	三
九	七	五	四
1	10	12	18
21	8	45	28
4	15	18	27
48	32	3	56
30	20	40	36
6	7	4	4
9	3	6	9
8	6	1	3
5	1	9	8
6	4	7	7
13	53	27	8
69	23	84	67
44	9	9	13
25	30	30	20
12	30	27	11
=	<	>	>
<	=	<	>
>	<	=	<
>	<	=	<
>	<	<	>

综合练习(5)

四	五	七	一
六	二	六	八
一	一	六	八
七	七	五	四
九	一	三	六
7	4	32	63
1	8	20	56
15	6	48	24
10	30	27	14
24	16	4	18
2	9	3	7
8	7	6	8
2	2	4	2
2	8	3	3
4	5	8	5
8	27	26	20
40	15	35	46
60	11	75	43
35	40	23	15
82	69	57	47
<	<	<	=
>	>	<	<
=	<	<	>
<	>	=	>
>	<	<	=

综合练习(6)

二十七	四十	七十二	十六
三	四	四	九
二	四	三	九
七	八	三	九
四	七	六	五
1	6	40	21
4	54	8	24
4	20	14	24
6	30	56	27
4	40	72	64
1	2	7	3
6	6	6	4
1	3	2	4
3	1	4	6
9	8	8	5
18	29	17	37
23	24	78	24
20	54	71	48
18	60	5	83
56	33	20	56
>	<	=	>
>	<	<	<
=	>	=	<
>	=	<	>

乘法口诀表

一一得一								
一二得二	二二得四							
一三得三	二三得六	三三得九						
一四得四	二四得八	三四十二	四四十六					
一五得五	二五一十	三五十五	四五二十	五五二十五				
一六得六	二六十二	三六十八	四六二十四	五六三十	六六三十六			
一七得七	二七十四	三七二十一	四七二十八	五七三十五	六七四十二	七七四十九		
一八得八	二八十六	三八二十四	四八三十二	五八四十	六八四十八	七八五十六	八八六十四	
一九得九	二九十八	三九二十七	四九三十六	五九四十五	六九五十四	七九六十三	八九七十二	九九八十一